사고력을 키우는

팩토 연산

구성과 특징

1주 연산 원리 학습

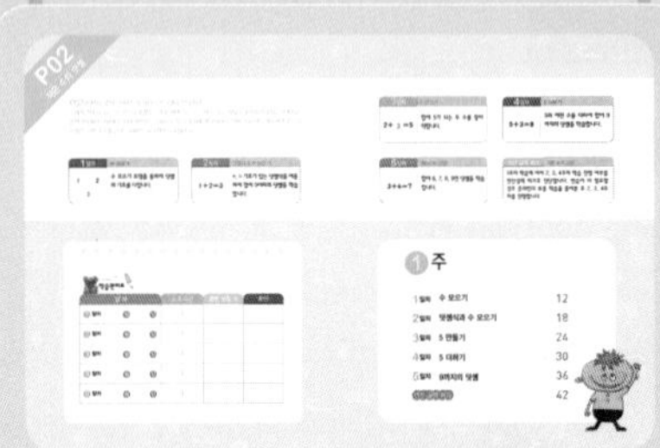

붙임 딱지 등의 활동으로
연산 원리를 재미있게 체득

2주 연산 응용 학습

연산 원리를 응용한 문제를
풀어 보며 문제해결력 신장

정답

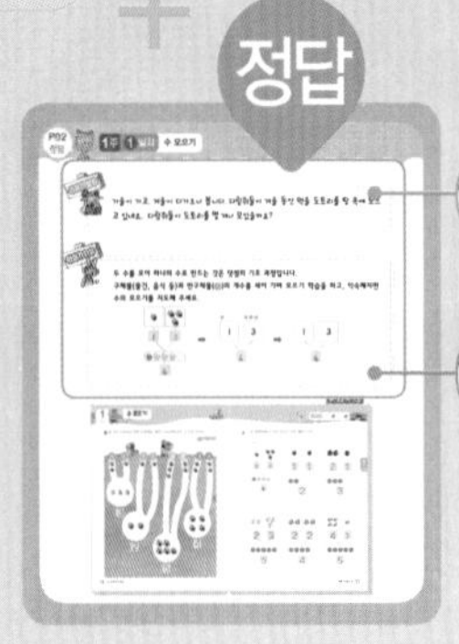

아이와 자연스럽게 학습을 시작할 수 있도록 스토리텔링 방식 도입

아이들이 배우는 연산 원리에 대한 학습가이드 제시

연산 실력 체크 진단

2~4주차 사고력 연산을
학습하기 전에 연산 실력 체크

보충 온라인 보충 학습

매스티안 홈페이지에서 제공하는
보충 학습으로 연산 원리 다지기

온라인 활동지

매스티안 홈페이지에서 제공하는
활동지로 사고력 연산 이해도 향상

4주 사고력 학습 2

연산 원리를 바탕으로 한 사고력 연산
문제를 풀어 보며 수학적 사고력과 창의력 향상

3주 사고력 학습 1

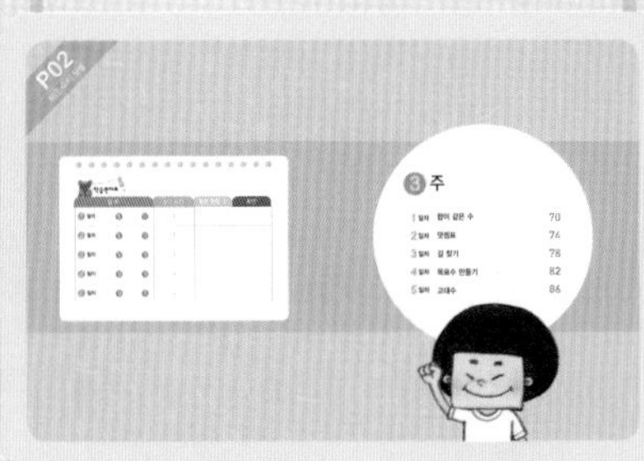

연산 원리를 바탕으로 한 사고력 연산
문제를 풀어 보며 수학적 사고력과 창의력 향상

• 3, 4주차 1일 학습 흐름 •

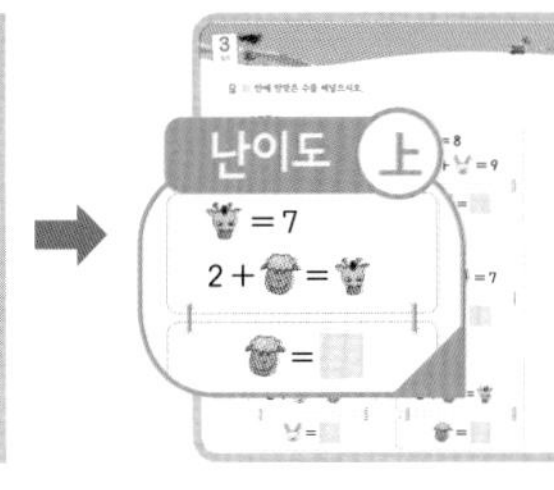

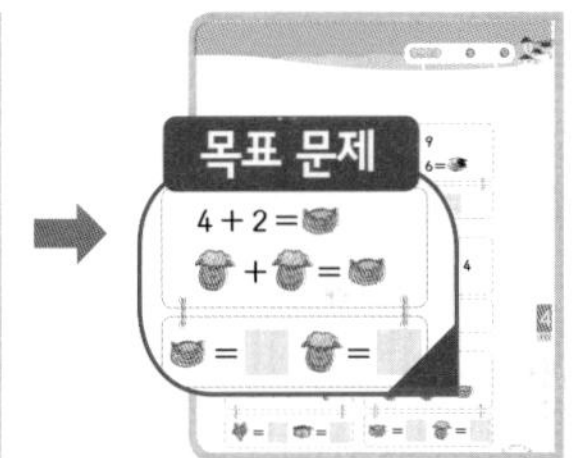

특정 주제를 쉬운 문제부터 목표 문제까지 차근차근
학습할 수 있도록 설계 되어 있어 자기주도학습 가능

App Game 팩토 연산 SPEED UP

앱스토어에서 무료로 다운받은
팩토 연산 SPEED UP으로 덧셈, 뺄셈,
곱셈, 나눗셈의 연산 속도와 정확성 향상

부록 칭찬 붙임 딱지, 상장

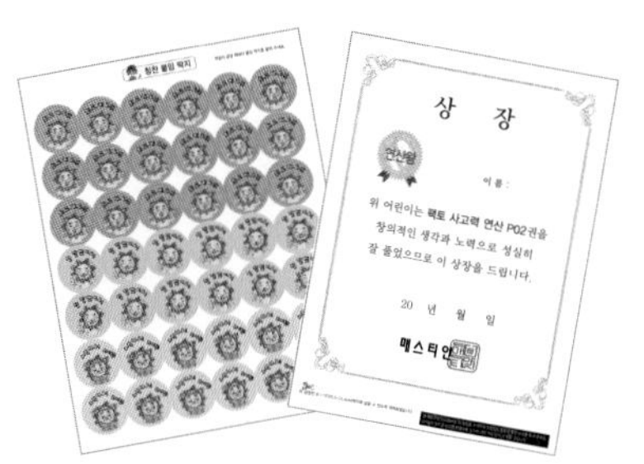

학습 동기 부여를 위한
칭찬 붙임 딱지와 연산왕 상장

사고력을 키우는 팩토 연산 시리즈

P | 권장 학년 : 7세, 초1 |

권별	학습 주제	교과 연계
P01	10까지의 수	❶학년 1학기
P02	작은 수의 덧셈	❶학년 1학기
P03	작은 수의 뺄셈	❶학년 1학기
P04	작은 수의 덧셈과 뺄셈	❶학년 1학기
P05	50까지의 수	❶학년 1학기

A | 권장 학년 : 초1, 초2 |

권별	학습 주제	교과 연계
A01	100까지의 수	❶학년 2학기
A02	덧셈구구	❶학년 2학기
A03	뺄셈구구	❶학년 2학기
A04	(두 자리 수)+(한 자리 수)	❷학년 1학기
A05	(두 자리 수)−(한 자리 수)	❷학년 1학기

B | 권장 학년 : 초2, 초3 |

권별	학습 주제	교과 연계
B01	세 자리 수	❷학년 1학기
B02	(두 자리 수)+(두 자리 수)	❷학년 1학기
B03	(두 자리 수)−(두 자리 수)	❷학년 1학기
B04	곱셈구구	❷학년 2학기
B05	큰 수의 덧셈과 뺄셈	❸학년 1학기

C | 권장 학년 : 초3, 초4 |

권별	학습 주제	교과 연계
C01	나눗셈구구	❸학년 1학기
C02	두 자리 수의 곱셈	❸학년 2학기
C03	혼합 계산	❹학년 1학기
C04	큰 수의 곱셈과 나눗셈	❹학년 1학기
C05	분수·소수의 덧셈과 뺄셈	❹학년 1학기

P04 작은 수의 덧셈과 뺄셈 목차

P04 작은 수의 덧셈과 뺄셈

P04권에서는 P02권에서 배운 작은 수의 덧셈과 P03권에서 배운 작은 수의 뺄셈을 종합하여 학습합니다. 덧셈과 뺄셈의 기초가 되는 가르기와 모으기 모형을 통하여 덧셈식과 뺄셈식의 상호 관계를 이해하고, 이를 이용하여 빈칸이 있는 덧셈식과 뺄셈식을 완성합니다. 또한 더하는 두 수의 순서를 바꾸어도 합이 같다는 원리도 학습합니다.

1일차 가르기와 모으기

수 가르기와 수 모으기 모형을 통하여 덧셈과 뺄셈 관계의 기초를 다집니다.

2일차 바꾸어 더하기

6+3= 9

3+6= 9

(작은 수) + (큰 수)를 (큰 수) + (작은 수)로 바꾸어 더하는 학습을 합니다.

학습관리표

일 자			소요 시간	틀린 문항 수	확인
1 일차	월	일	:		
2 일차	월	일	:		
3 일차	월	일	:		
4 일차	월	일	:		
5 일차	월	일	:		

3일차	덧셈식과 뺄셈식의 관계
6 − 4 = [2] 4 + [2] = 6	뺄셈식을 이용하여 덧셈식을 완성합니다.

4일차	뺄셈식과 덧셈식의 관계
2 + 3 = [5] [5] − 3 = 2	덧셈식을 이용하여 뺄셈식을 완성합니다.

5일차	세 수의 계산
9 − 5 + 4 = [8]	계산 순서를 바꾸면 계산 결과가 달라질 수 있으므로 앞에서부터 차례대로 계산합니다.

연산 실력 체크

1주차 학습에 이어 2, 3, 4주차 학습을 원활히 하기 위하여 연산 실력 체크를 합니다.
연습이 더 필요할 경우에는 매스티안 홈페이지의 보충 학습을 풀어 봅니다.

1 주

1 일차 가르기와 모으기

도토리를 모으고 갈라 ▢ 안에 알맞은 수를 써넣으시오.

준비물 ▸ 붙임 딱지

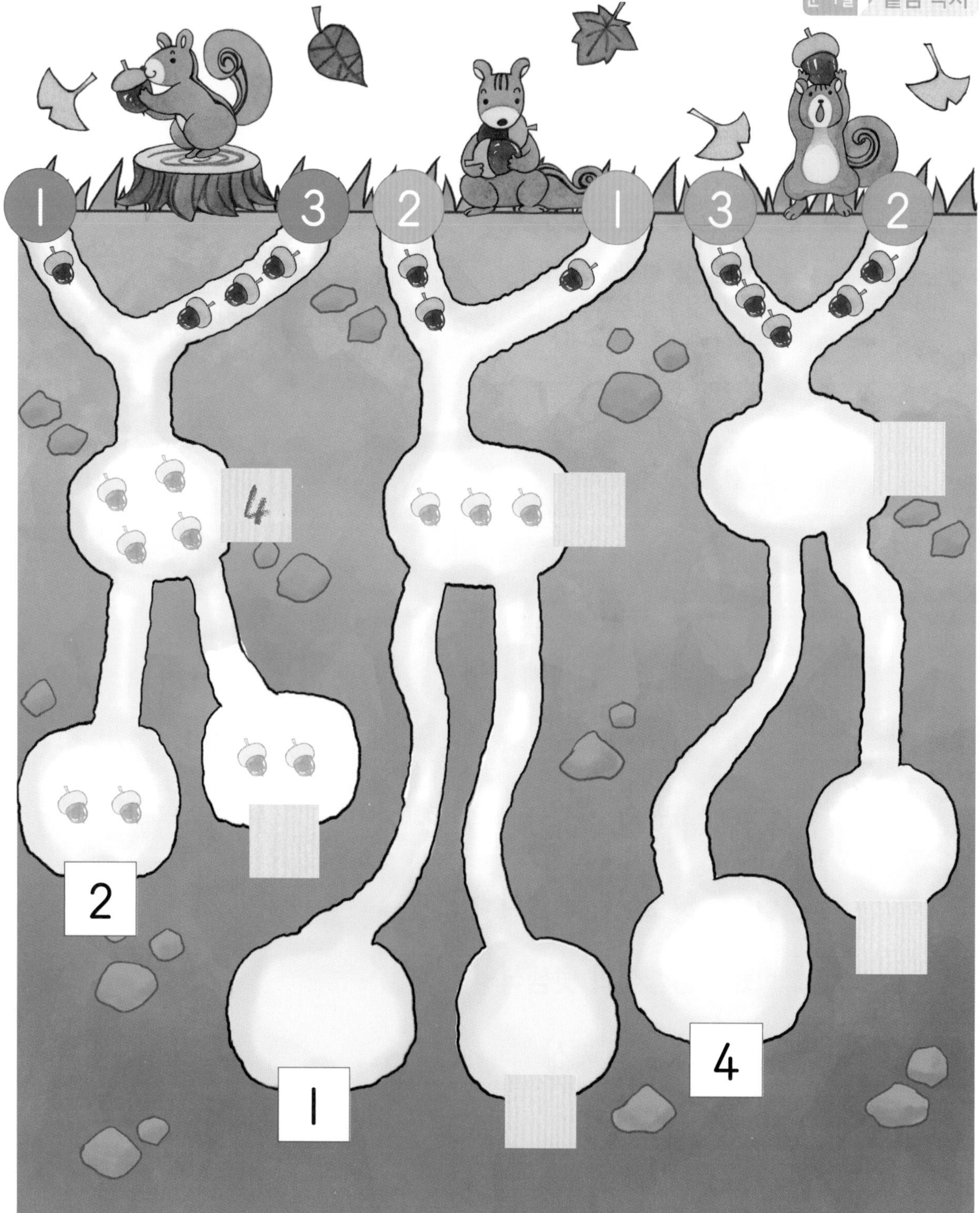

1 3 2 1 3 2

4

2

1

4

○를 그리며 두 수를 모으고 갈라 보시오.

보기

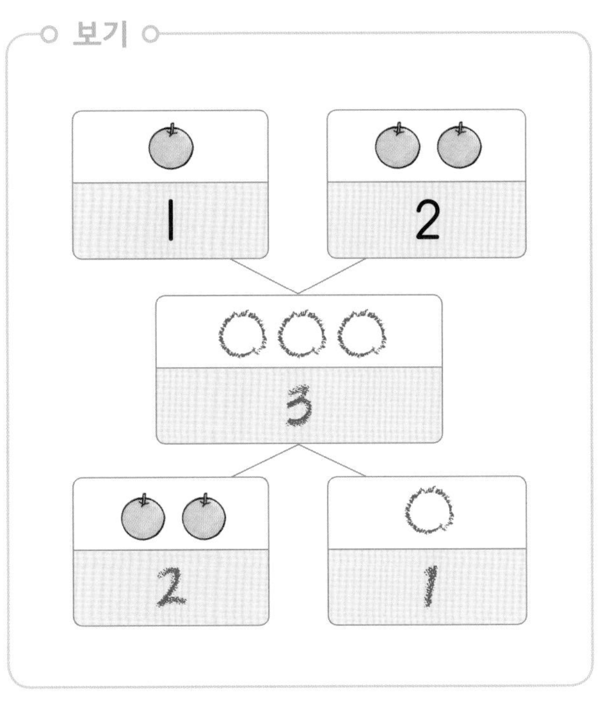

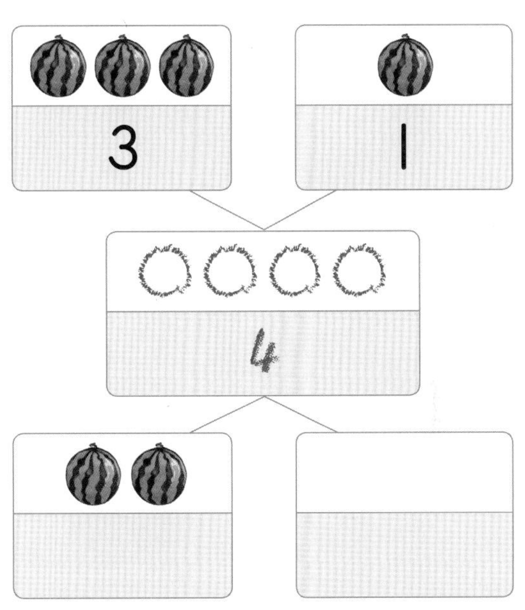

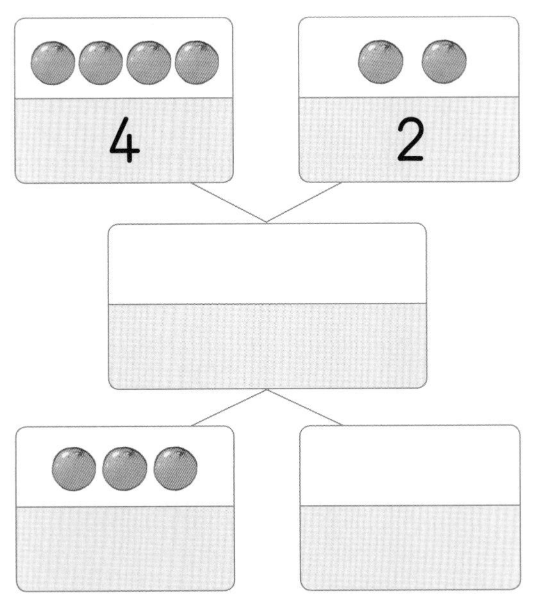

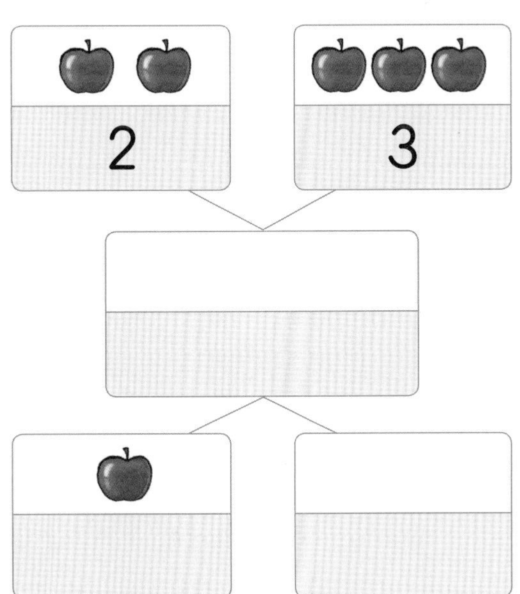

○를 그리며 두 수를 모으고, /를 그리며 두 수로 갈라 보시오.

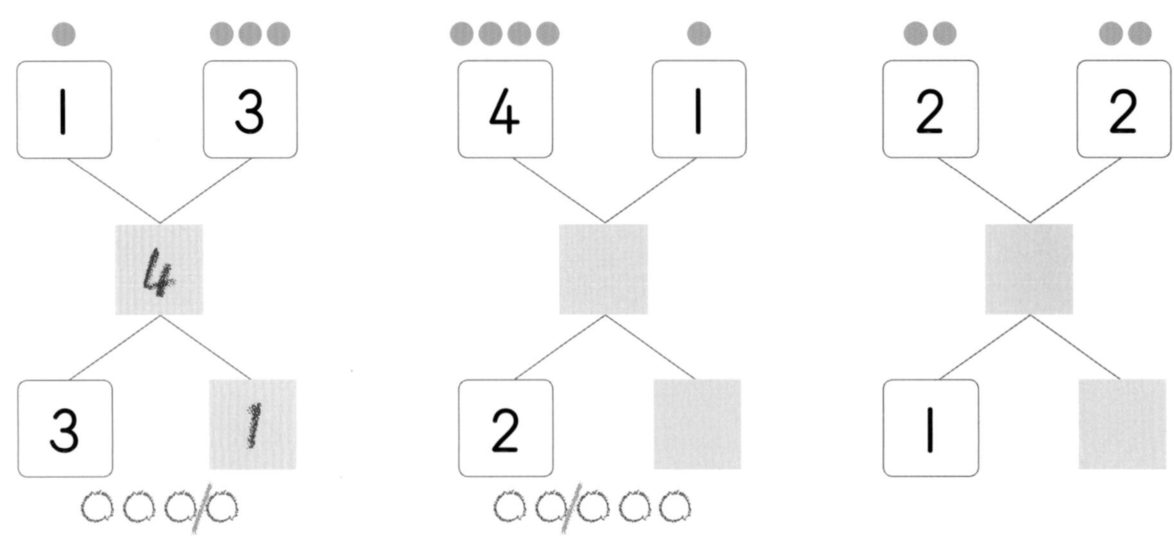

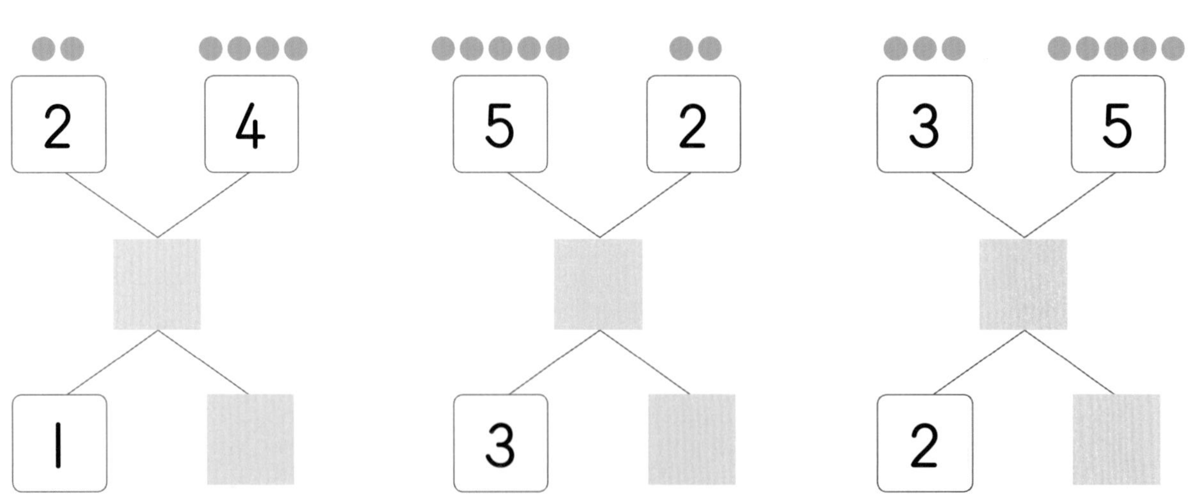

1
P04

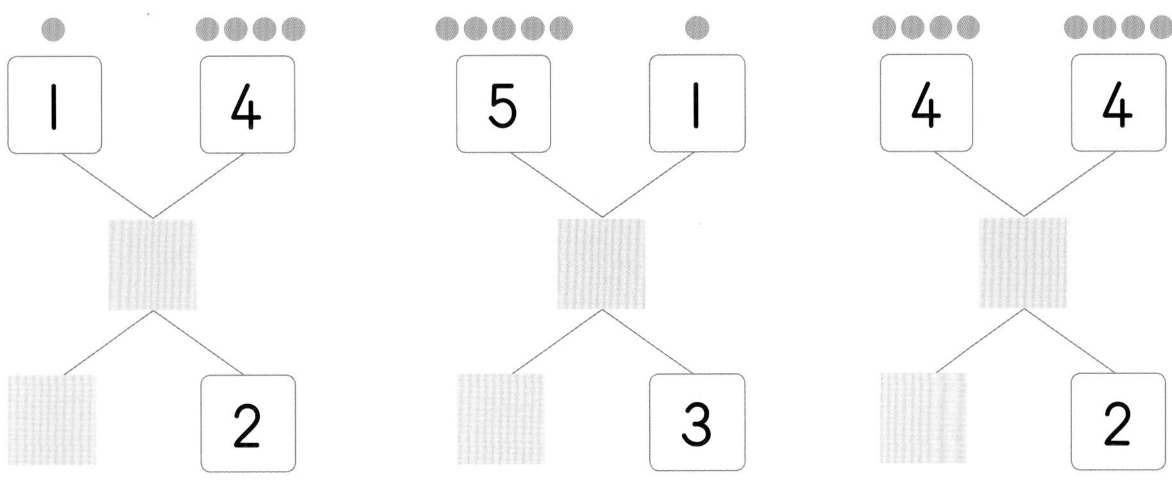

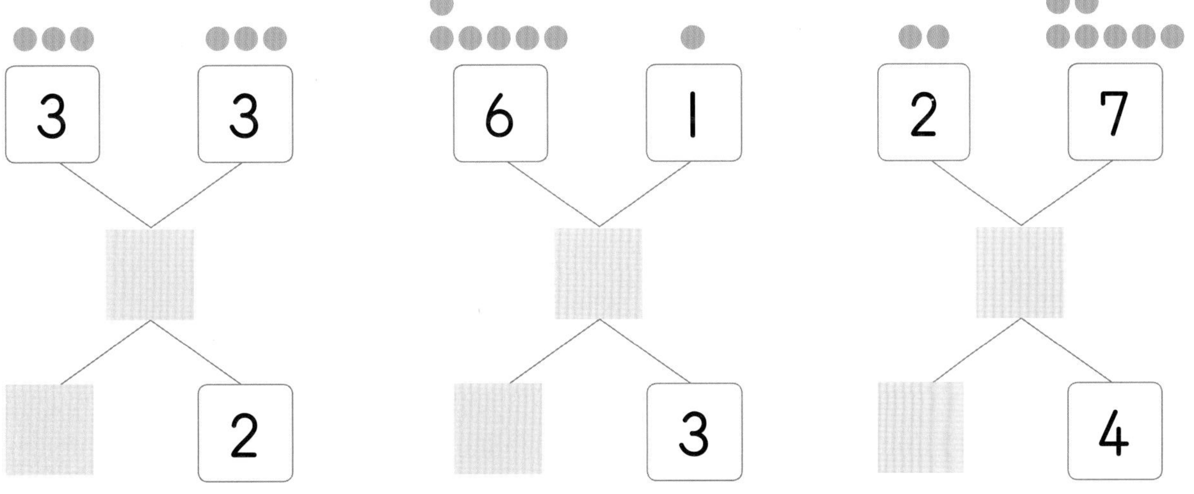

안에 알맞은 수를 써넣으시오.

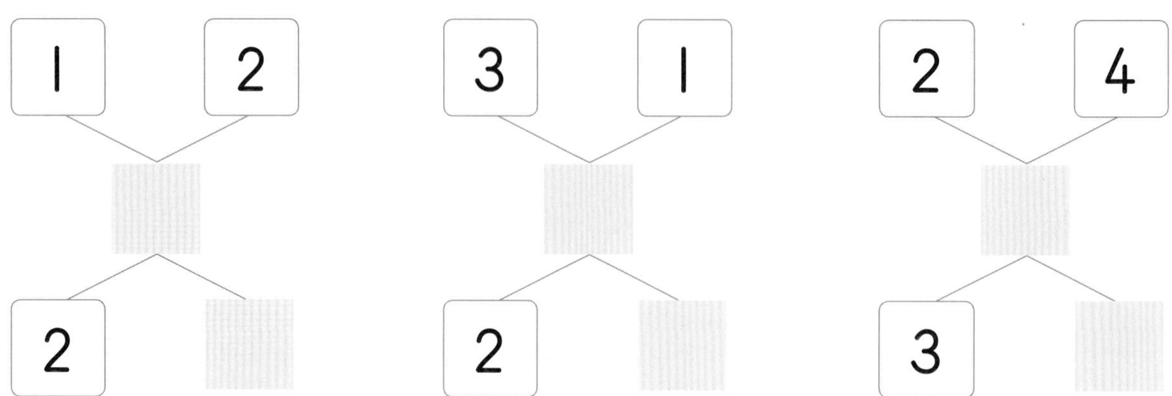

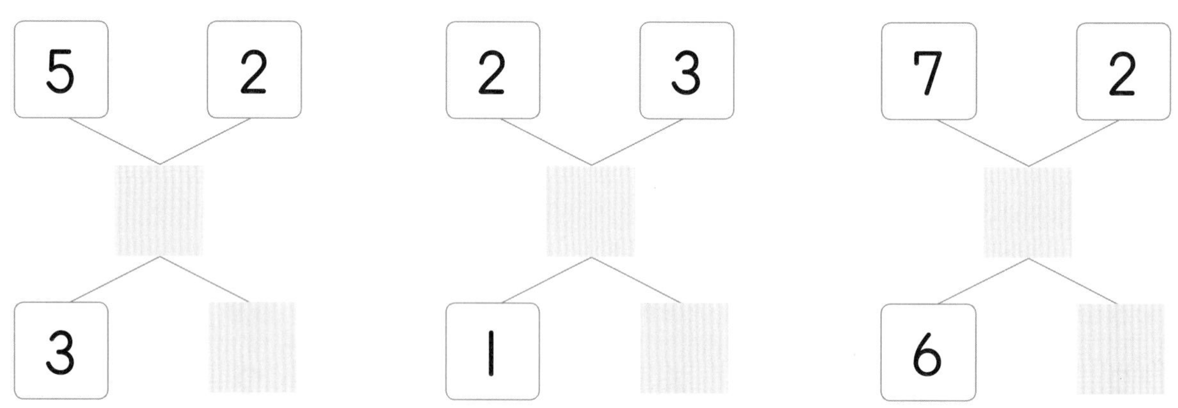

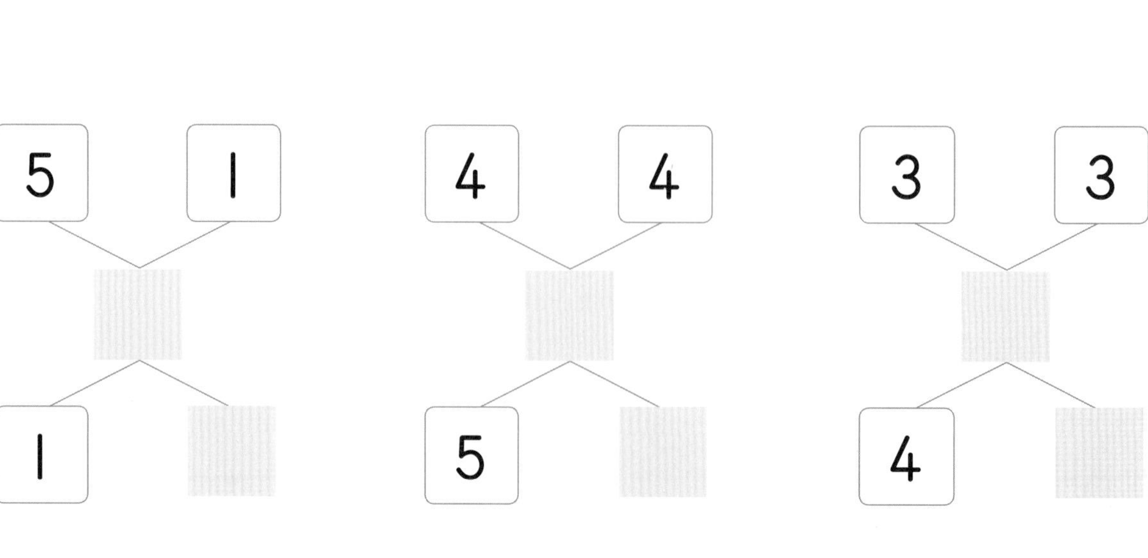

공부한 날
월
일

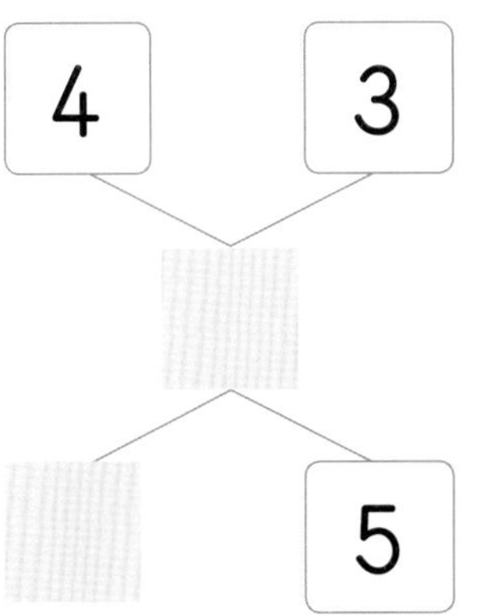

4
3
5

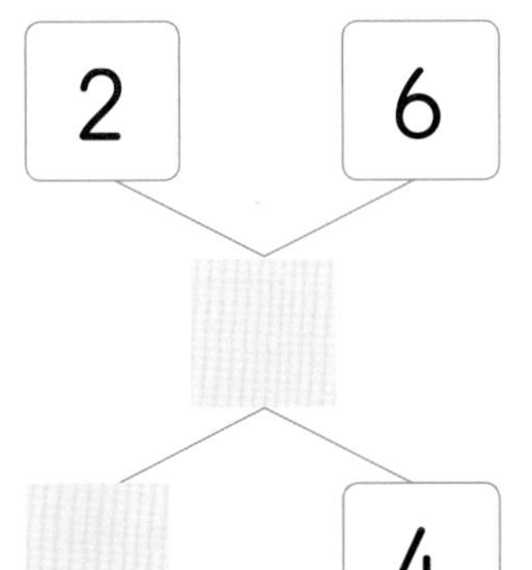

2
6
4

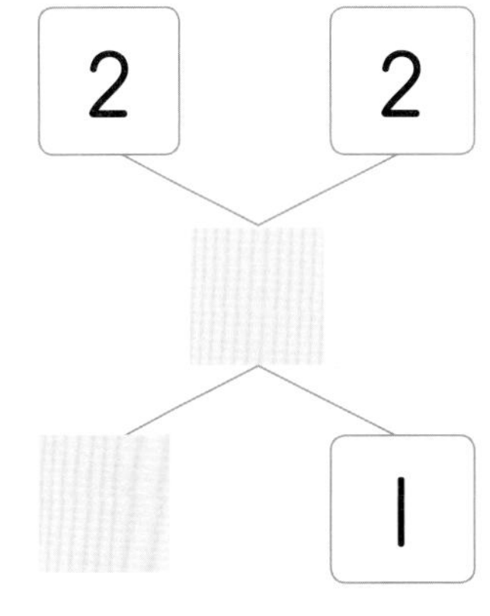

2
2
1

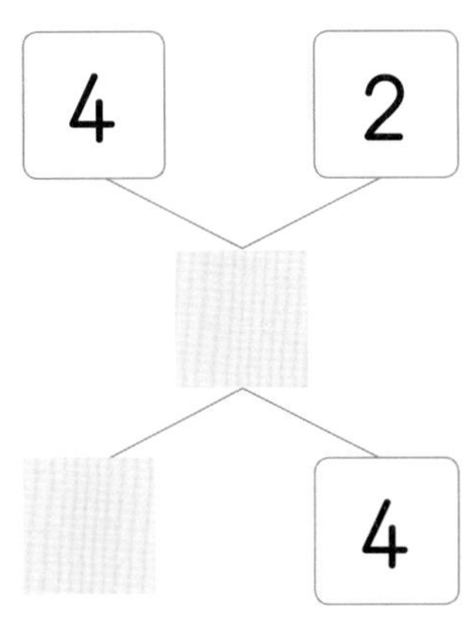

4
2
4

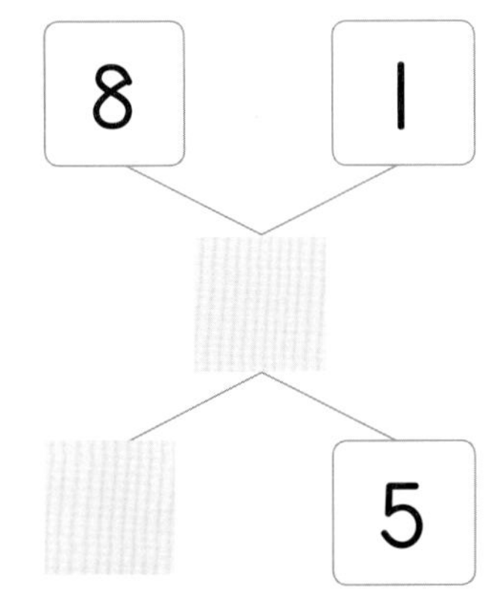

8
1
5

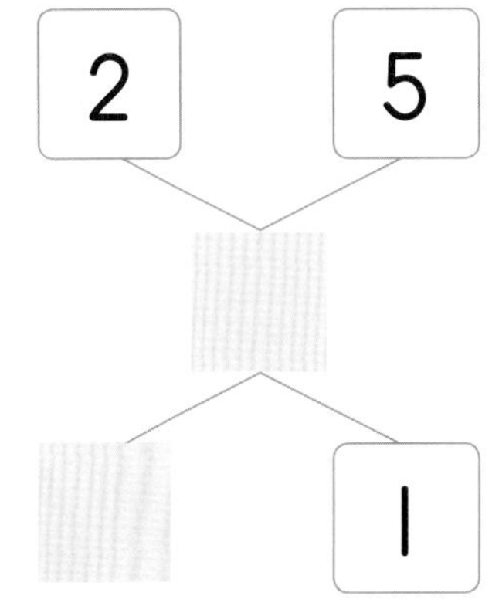

2
5
1

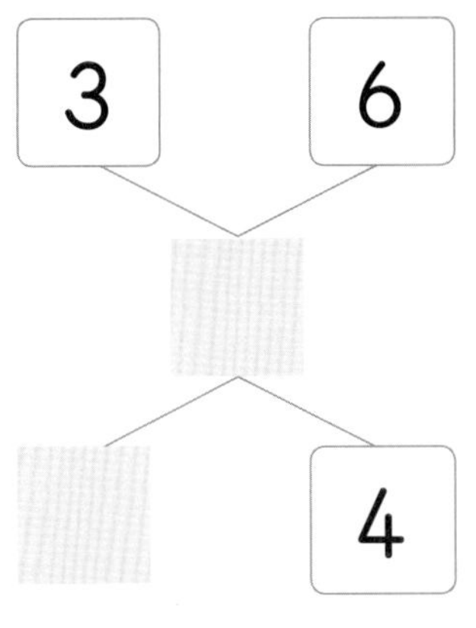

3
6
4

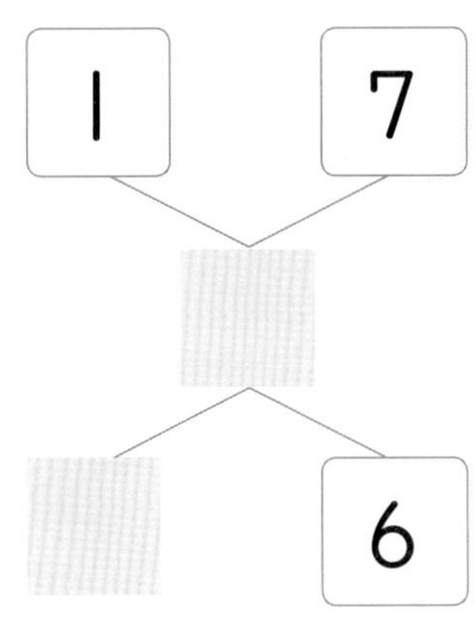

1
7
6

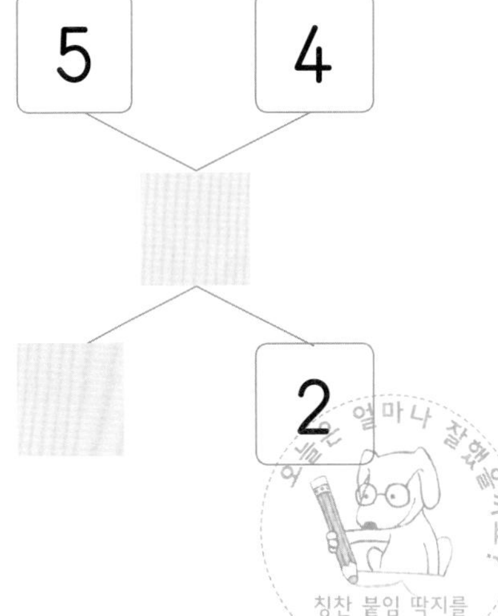

5
4
2
오늘은 얼마나 잘했을까요?
칭찬 붙임 딱지를
붙여 주세요!

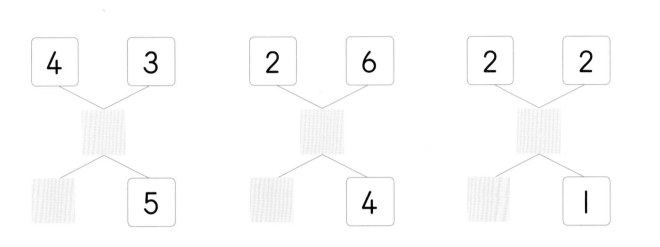

바꾸어 더하기

친구들이 앉은 자리에서 바라본 주사위의 눈을 알맞게 붙이고 덧셈을 하시오.

준비물 ▶ 붙임 딱지

5 + 2 =

2 + 5 =

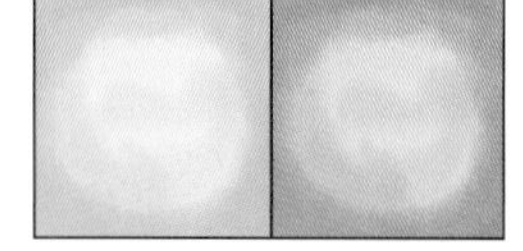

6 + 3 =

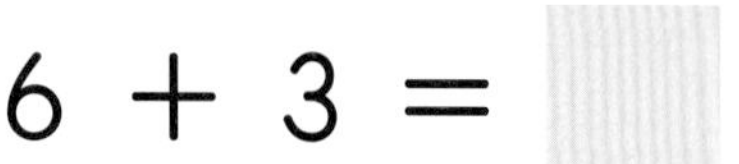

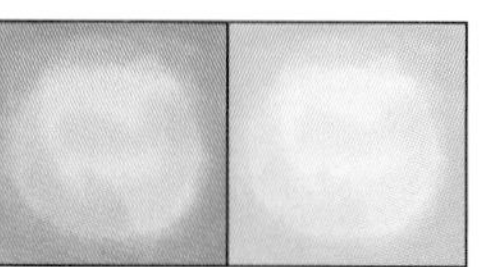

3 + 6 =

더하는 두 수의 순서를 바꾸어 계산하시오.

보기

3 + 1 = 4

1 + 3 = 4

2 + 1 =

1 + 2 =

3 + 2 =

2 + 3 =

4 + 2 =

2 + 4 =

4 + 3 =

3 + 4 =

6 + 2 =

2 + 6 =

1
P04

더하는 두 수의 순서를 바꾸어 계산하시오.

3 + 1 = 4
1 + 3 = 4

3 + 2 =
2 + 3 =

5 + 2 =
2 + 5 =

5 + 1 =
1 + 5 =

4 + 1 =
1 + 4 =

6 + 2 =
2 + 6 =

$4 + 2 =$ □

$2 + 4 =$ □

$6 + 1 =$ □

$1 + 6 =$ □

$6 + 3 =$ □

$3 + 6 =$ □

$4 + 3 =$ □

$3 + 4 =$ □

$7 + 1 =$ □

$1 + 7 =$ □

$5 + 4 =$ □

$4 + 5 =$ □

2 일차

덧셈을 하시오.

$1 + 2 =$ ☐

$2 + 4 =$ ☐

$2 + 3 =$ ☐

$4 + 5 =$ ☐

$3 + 4 =$ ☐

$1 + 6 =$ ☐

$1 + 4 =$ ☐

$2 + 7 =$ ☐

$1 + 8 =$ ☐

$1 + 5 =$ ☐

$2 + 5 =$ ☐

$3 + 6 =$ ☐

$3 + 5 =$ ☐

$1 + 7 =$ ☐

$1 + 3 =$ ☐

$2 + 4 =$ ☐

$2 + 5 =$ ☐

$1 + 6 =$ ☐

$2 + 6 =$ ☐

$1 + 8 =$ ☐

$1 + 4 =$ ☐

$3 + 4 =$ ☐

$4 + 5 =$ ☐

$2 + 7 =$ ☐

덧셈식과 뺄셈식의 관계

구슬을 붙이며 덧셈과 뺄셈을 하시오.

준비물 ▸ 붙임 딱지

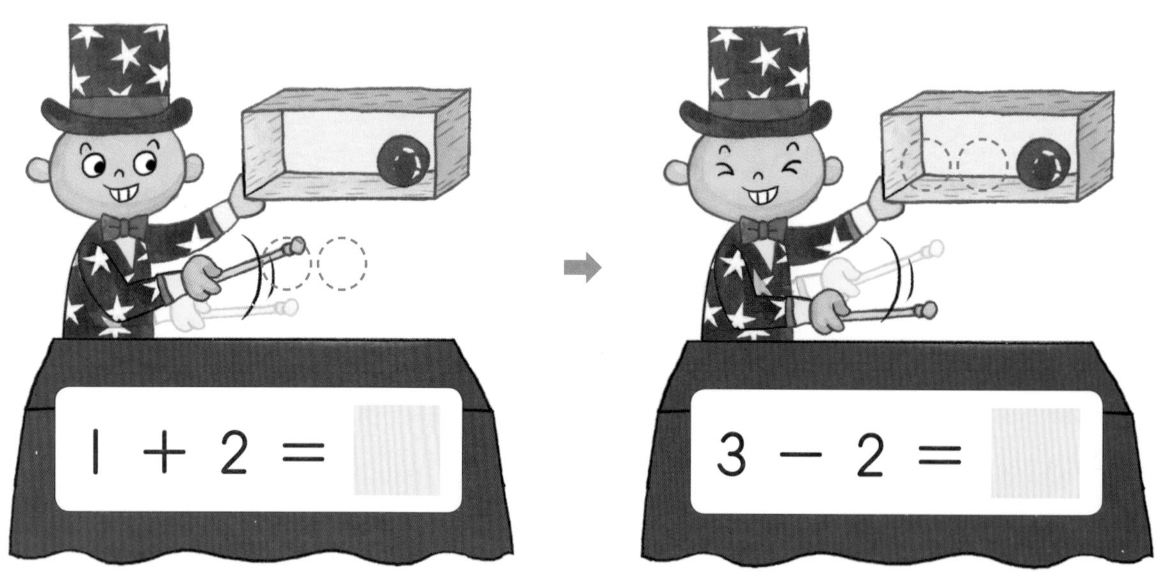

덧셈식과 뺄셈식의 관계를 이용하여 빈 곳에 알맞은 식을 써넣으시오.

보기

덧셈식	뺄셈식
$2+1=3$	$3-1=2$
$1+2=3$	$3-2=1$

덧셈식	뺄셈식
$3+1=4$	

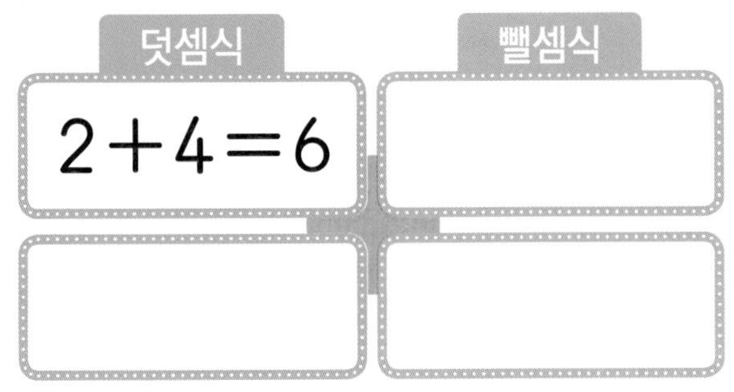

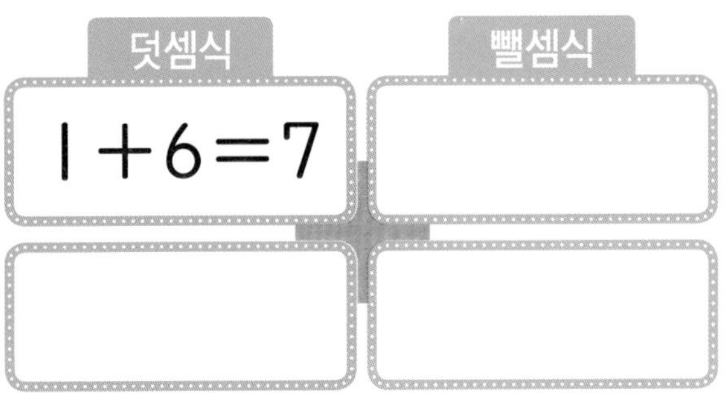

덧셈식	뺄셈식
$5+3=8$	

덧셈식	뺄셈식
$4+5=9$	

덧셈식과 뺄셈식의 관계를 이용하여 ▢ 안에 알맞은 수를 써넣으시오.

3 − 1 = [2]
1 + [2] = 3

3 − 2 = [ ]
2 + [ ] = 3

6 − 3 = [ ]
3 + [ ] = 6

8 − 4 = [ ]
4 + [ ] = 8

7 − 2 = [ ]
2 + [ ] = 7

6 − 5 = [ ]
5 + [ ] = 6

9 − 3 = [ ]
3 + [ ] = 9

5 − 2 = [ ]
2 + [ ] = 5

4 − 1 = [ ]
1 + [ ] = 4

9 − 1 = [ ]
1 + [ ] = 9

5 − 3 = □
□ + 3 = 5

6 − 4 = □
□ + 4 = 6

4 − 2 = □
□ + 2 = 4

9 − 3 = □
□ + 3 = 9

8 − 6 = □
□ + 6 = 8

6 − 1 = □
□ + 1 = 6

7 − 3 = □
□ + 3 = 7

8 − 7 = □
□ + 7 = 8

9 − 2 = □
□ + 2 = 9

9 − 4 = □
□ + 4 = 9

□ 안에 알맞은 수를 써넣으시오.

$2 + \square = 5$　　$1 + \square = 3$

$5 + \square = 7$　　$2 + \square = 8$

$1 + \square = 5$　　$6 + \square = 9$

$3 + \square = 8$　　$3 + \square = 4$

$2 + \square = 9$　　$4 + \square = 7$

$1 + \square = 6$　　$5 + \square = 9$

$\square + 3 = 7$

$\square + 2 = 5$

$\square + 4 = 9$

$\square + 1 = 8$

$\square + 2 = 6$

$\square + 2 = 4$

$\square + 1 = 7$

$\square + 5 = 9$

$\square + 7 = 9$

$\square + 3 = 6$

$\square + 6 = 7$

$\square + 4 = 8$

오늘은 얼마나 잘했을까요?
칭찬 붙임 딱지를 붙여 주세요!

뺄셈식과 덧셈식의 관계

구슬을 붙이며 뺄셈과 덧셈을 하시오.

준비물 ▸ 붙임 딱지

뺄셈식과 덧셈식의 관계를 이용하여 빈 곳에 알맞은 식을 써넣으시오.

보기

뺄셈식	덧셈식
$4-1=3$	$3+1=4$
$4-3=1$	$1+3=4$

뺄셈식	덧셈식
$3-2=1$	

뺄셈식	덧셈식
$6-4=2$	

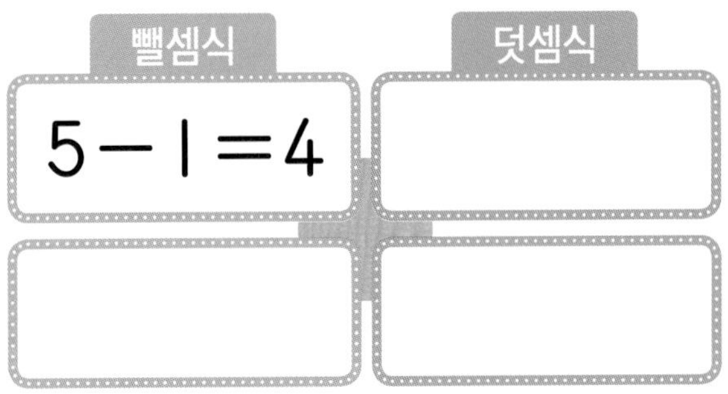

뺄셈식	덧셈식
$7-2=5$	

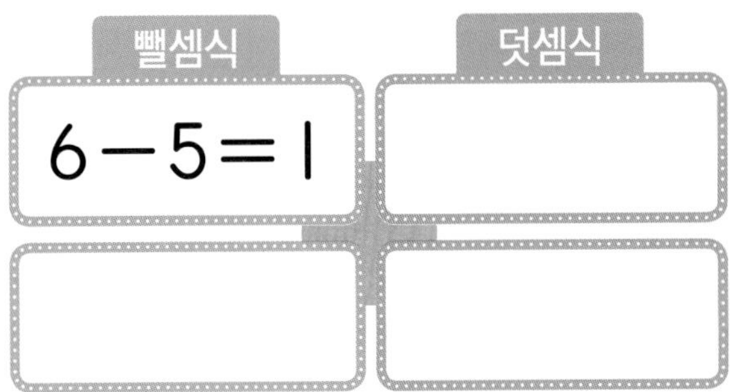

1
P04

빼셈식과 덧셈식의 관계를 이용하여 ▒ 안에 알맞은 수를 써넣으시오.

3 − 1 = ☐
3 − ☐ = 1

6 − 5 = ☐
6 − ☐ = 5

5 − 2 = ☐
5 − ☐ = 2

4 − 2 = ☐
4 − ☐ = 2

8 − 2 = ☐
8 − ☐ = 2

7 − 1 = ☐
7 − ☐ = 1

9 − 5 = ☐
9 − ☐ = 5

5 − 4 = ☐
5 − ☐ = 4

6 − 4 = ☐
6 − ☐ = 4

8 − 5 = ☐
8 − ☐ = 5

$3 + 1 = \square$

$\square - 1 = 3$

$2 + 1 = \square$

$\square - 1 = 2$

$1 + 4 = \square$

$\square - 4 = 1$

$5 + 2 = \square$

$\square - 2 = 5$

$3 + 3 = \square$

$\square - 3 = 3$

$1 + 1 = \square$

$\square - 1 = 1$

$4 + 3 = \square$

$\square - 3 = 4$

$3 + 2 = \square$

$\square - 2 = 3$

$3 + 6 = \square$

$\square - 6 = 3$

$1 + 7 = \square$

$\square - 7 = 1$

□ 안에 알맞은 수를 써넣으시오.

$2 - \square = 1$ $4 - \square = 1$

$5 - \square = 3$ $3 - \square = 2$

$6 - \square = 1$ $7 - \square = 3$

$9 - \square = 6$ $8 - \square = 2$

$7 - \square = 5$ $6 - \square = 3$

$8 - \square = 4$ $9 - \square = 2$

$\square - 2 = 1$

$\square - 1 = 4$

$\square - 2 = 2$

$\square - 2 = 6$

$\square - 5 = 4$

$\square - 6 = 1$

$\square - 1 = 7$

$\square - 2 = 4$

$\square - 5 = 2$

$\square - 6 = 3$

$\square - 3 = 5$

$\square - 3 = 4$

오늘은 얼마나 잘했을까요?
칭찬 붙임 딱지를 붙여 주세요!

세 수의 계산

사탕을 붙이며 주어진 식을 계산하시오.

준비물 ▶ 붙임 딱지

6 − 3 − 1 =

2 + 1 − 1 =

그림을 보고 앞에서부터 차례대로 계산하시오.

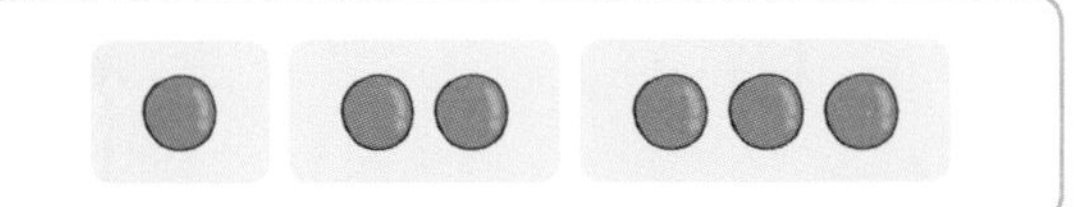

$1 + 2 + 3 =$ ☐

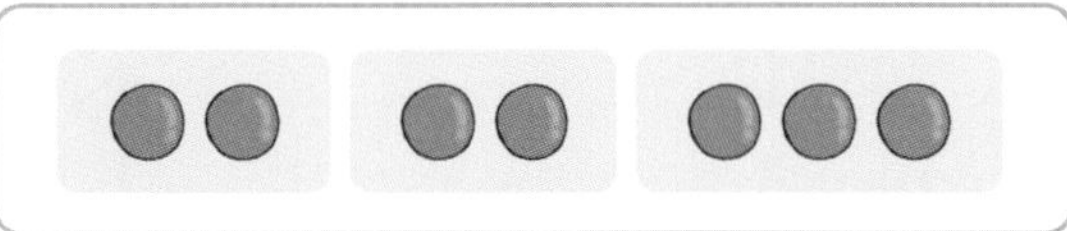

$2 + 2 + 3 =$ ☐

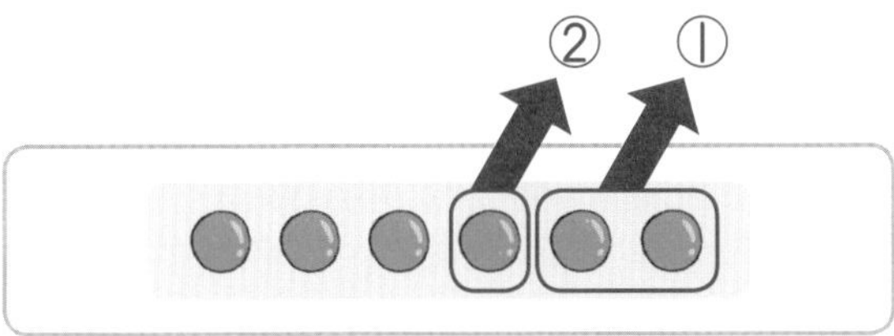

$6 - 2 - 1 =$ ☐

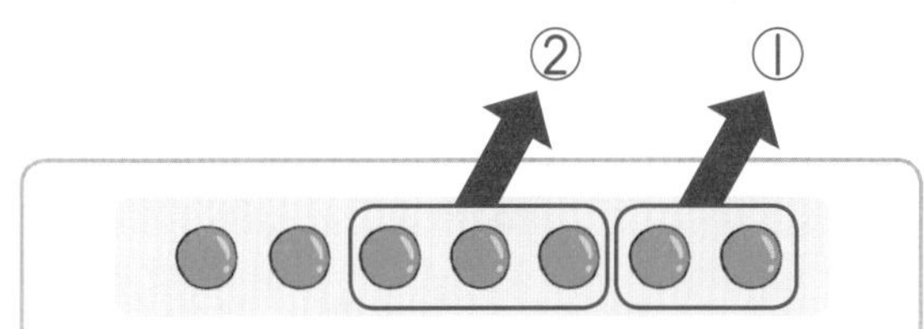

$7 - 2 - 3 =$ ☐

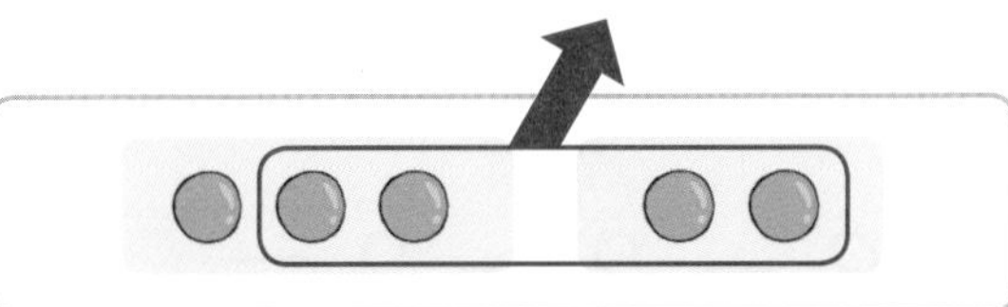

$3 + 2 - 4 =$ ☐

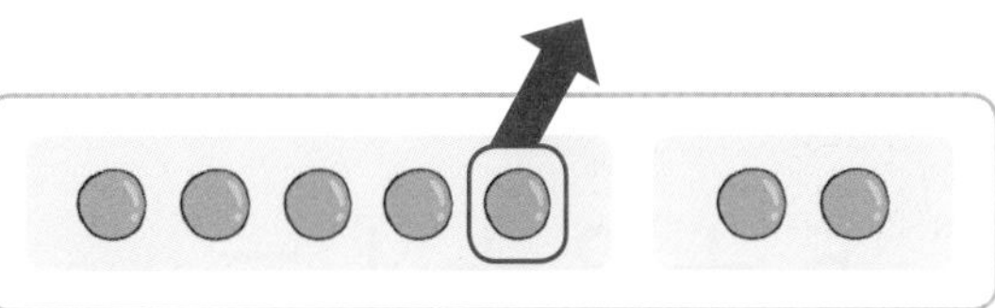

$5 - 1 + 2 =$ ☐

1
P04

◯안에 알맞은 수를 써넣으며 앞에서부터 차례대로 계산하시오.

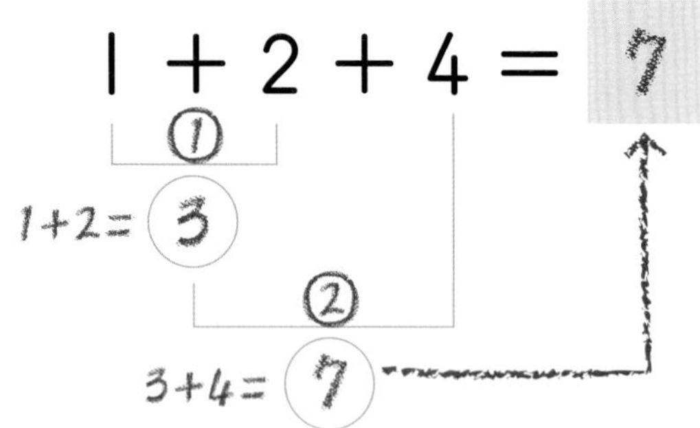

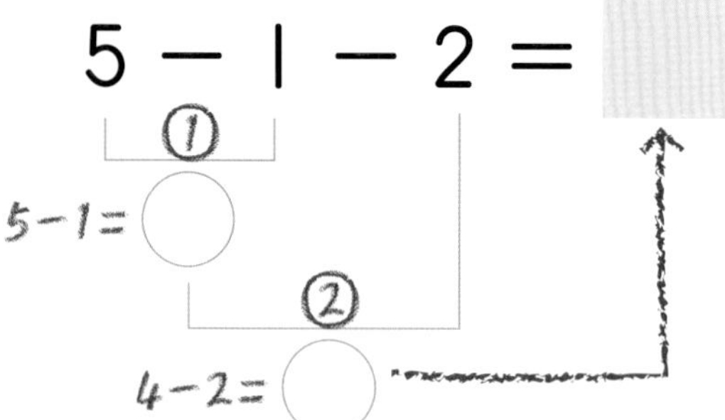

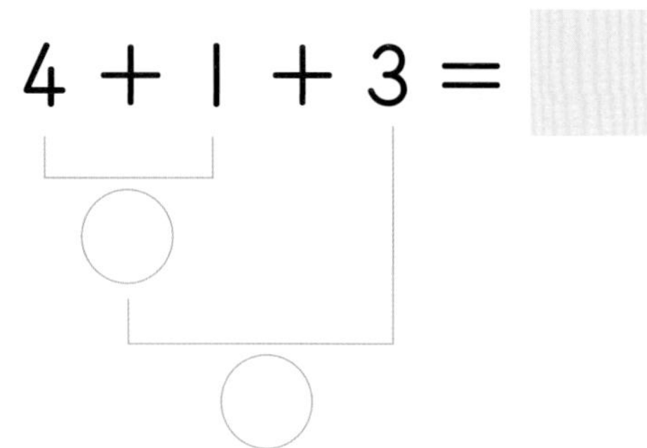

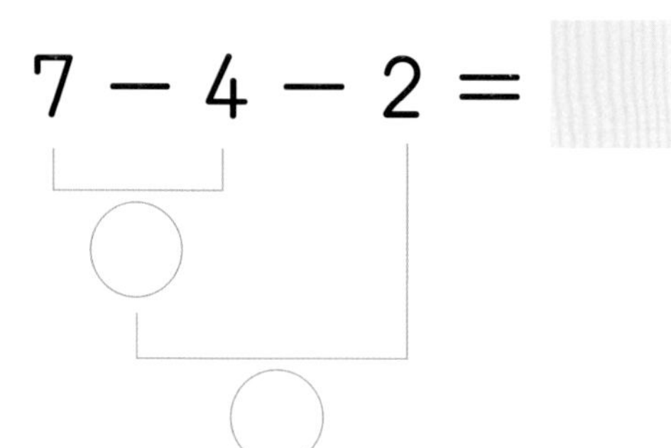

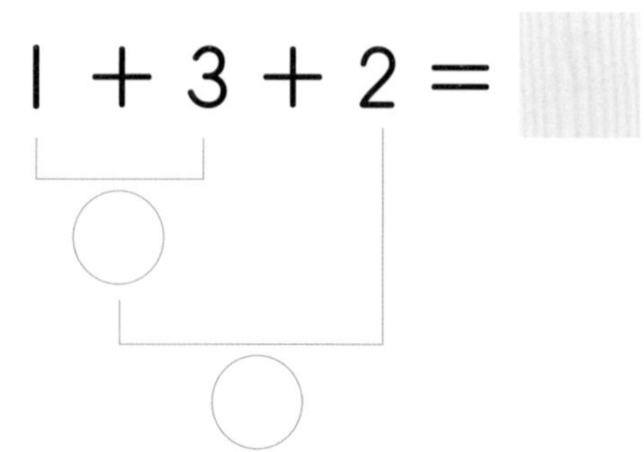

$8 - 3 - 1 =$

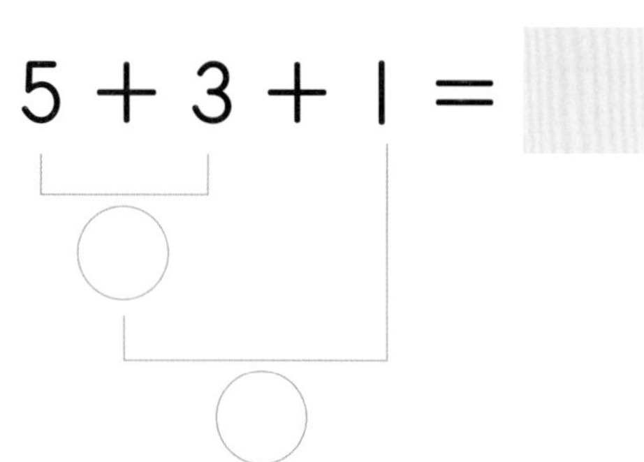

$9 - 2 - 2 =$

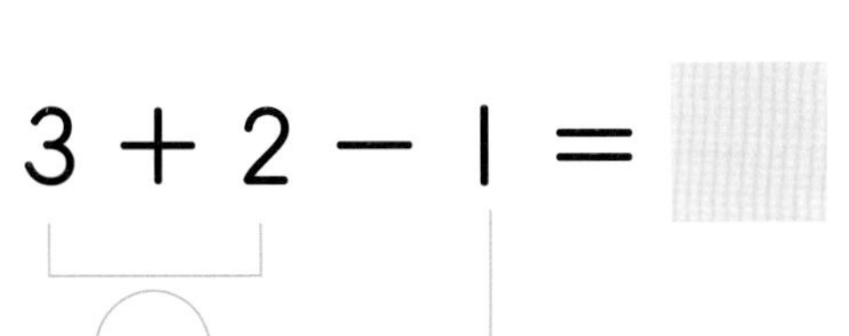

$3 + 2 - 1 =$ ☐

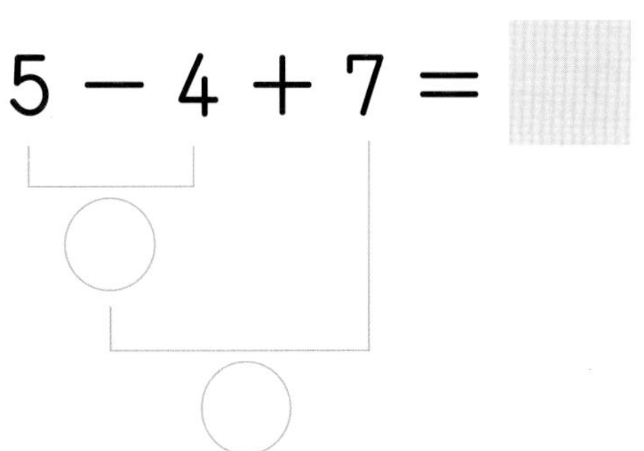

$5 - 4 + 7 =$ ☐

$1 + 5 - 3 =$ ☐

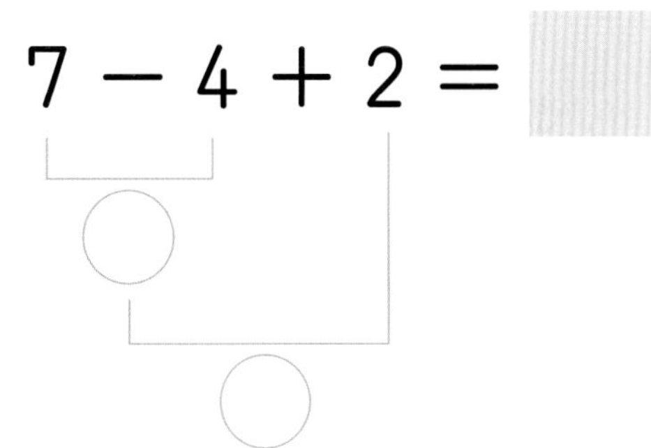

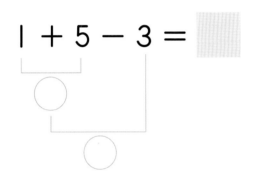

$7 - 4 + 2 =$ ☐

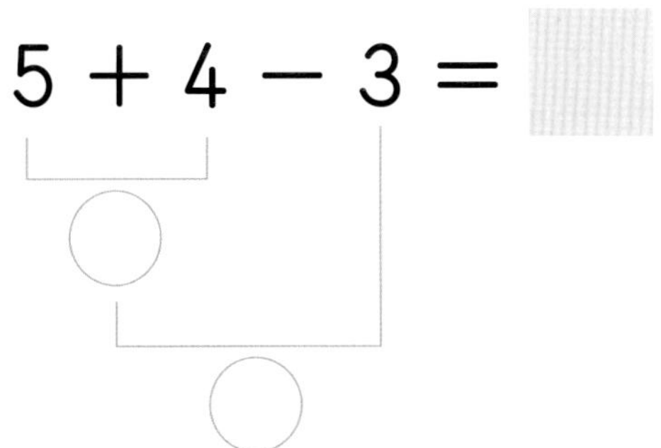

$5 + 4 - 3 =$ ☐

$4 - 2 + 5 =$ ☐

$4 + 2 - 1 =$ ☐

$8 - 5 + 6 =$ ☐

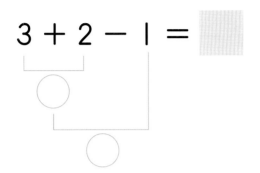

계산을 하시오.

$2+1+3=\square$ $7-1-3=\square$

$1+2+1=\square$ $6-2-2=\square$

$5+2+1=\square$ $8-3-4=\square$

$2+3+4=\square$ $5-2-1=\square$

$1+3+3=\square$ $9-1-4=\square$

$3+1+5=\square$ $8-3-2=\square$

공부한 날 월 일

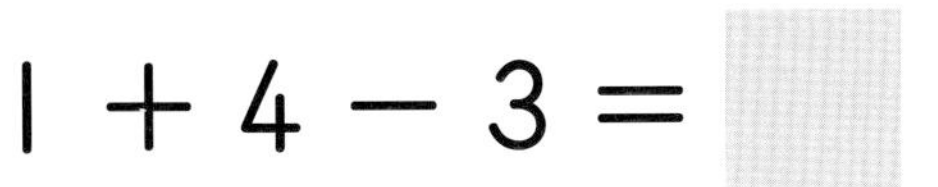

$1 + 4 - 3 = \square$

$4 - 3 + 2 = \square$

$5 + 2 - 1 = \square$

$5 - 1 + 1 = \square$

$4 + 3 - 2 = \square$

$6 - 4 + 5 = \square$

$7 + 2 - 8 = \square$

$9 - 5 + 4 = \square$

$4 + 4 - 5 = \square$

$7 - 3 + 2 = \square$

$6 + 2 - 4 = \square$

$8 - 2 + 3 = \square$

작은 수의 덧셈과 뺄셈 **연산 실력 체크**

정답 수	/ 40개
날 짜	월 일

2~4주 사고력 연산을 학습하기 전에 기본 연산 실력을 점검해 보세요.

1. $1 + 3 =$ ☐

2. $6 - 4 =$ ☐

3. $2 + 7 =$ ☐

4. $8 - 2 =$ ☐

5. $7 - 4 =$ ☐

6. $3 + 3 =$ ☐

7. $1 + 2 =$ ☐

8. $5 - 1 =$ ☐

9. $3 + 5 =$ ☐

10. $6 - 2 =$ ☐

11. $8 - 7 =$ ☐

12. $4 + 3 =$ ☐

13. $1 + \square = 4$

14. $4 + \square = 8$

15. $2 + \square = 9$

16. $6 - \square = 5$

17. $8 - \square = 3$

18. $9 - \square = 6$

19. $\square + 2 = 4$

20. $\square + 3 = 8$

21. $\square + 5 = 6$

22. $\square - 3 = 5$

23. $\square - 4 = 3$

24. $\square - 2 = 7$

25. $2 + 1 + 3 =$ ☐

26. $3 + 2 - 4 =$ ☐

27. $7 - 1 - 3 =$ ☐

28. $6 - 4 + 5 =$ ☐

29. $5 - 3 - 2 =$ ☐

30. $2 + 5 - 3 =$ ☐

31. $9 - 4 + 4 =$ ☐

32. $6 + 2 - 3 =$ ☐

33. $3 + 4 + 1 =$ ☐

34. $6 - 1 - 3 =$ ☐

35. $7 - 3 + 2 =$ ☐

36. $4 + 4 - 7 =$ ☐

37. $3 + 1 + 3 =$ ☐

38. $6 - 4 + 7 =$ ☐

39. $7 - 2 - 5 =$ ☐

40. $4 + 5 - 4 =$ ☐

연산 실력 분석

오답 수에 맞게 학습을 진행하시기 바랍니다.

평가	오답 수	학습 방법
최고예요	0 ~ 2개	전반적으로 학습 내용에 대해 정확히 이해하고 있으며 매우 우수합니다. 기본 연산 문제를 자신 있게 풀 수 있는 실력을 갖추었으므로 이제는 사고력을 향상시킬 차례입니다. 2주차부터 차근차근 학습을 진행해 보세요. 학습 [2주차] → [3주차] → [4주차]
잘했어요	3 ~ 4개	기본 연산 문제를 전반적으로 잘 이해하고 풀었지만 약간의 실수가 있는 것 같습니다. 틀린 문제를 다시 한 번 풀어 보고, 문제를 차근차근 푸는 습관을 갖도록 노력해 보세요. 매스티안 홈페이지에서 제공하는 보충 학습으로 연산 실력을 향상시킨 후 2, 3, 4주차 학습을 진행해 주세요. 학습 [틀린 문제 복습] → [보충 학습] → [2주차] → …
노력해요	5개 이상	개념을 정확하게 이해하고 있지 않아 연산을 하는데 어려움이 있습니다. 개념을 이해하고 연산 문제를 반복해서 연습해 보세요. 매스티안 홈페이지에서 제공하는 보충 학습이 연산 실력을 향상시키는데 도움이 될 것입니다. 여러분도 곧 연산왕이 될 수 있습니다. 조금만 힘을 내 주세요. 학습 [1주차 원리 중심 복습] → [보충 학습] → [2주차] → …

매스티안 홈페이지 : www.mathtian.com

P04

작은 수의 덧셈과 뺄셈

학습관리표

일 자			소요 시간	틀린 문항 수	확인
❶ 일차	월	일	:		
❷ 일차	월	일	:		
❸ 일차	월	일	:		
❹ 일차	월	일	:		
❺ 일차	월	일	:		

2 주

저울 셈

빈 곳에 알맞은 수를 써넣으시오.

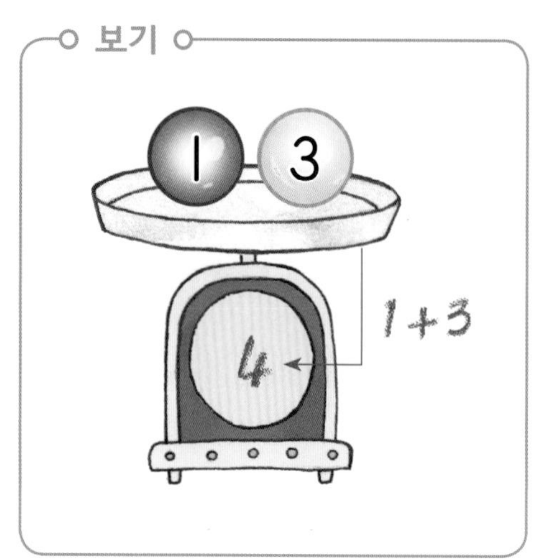

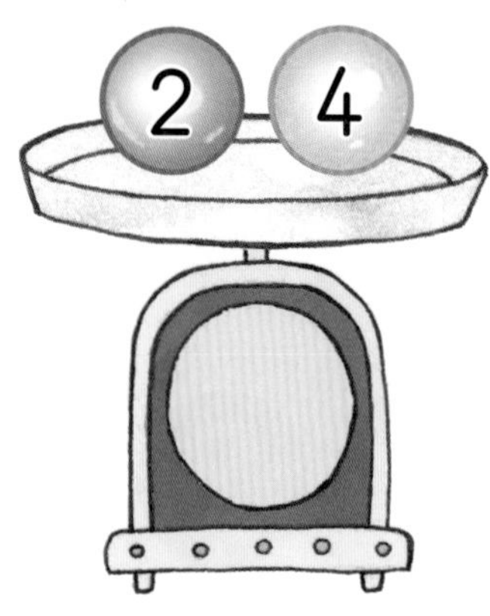

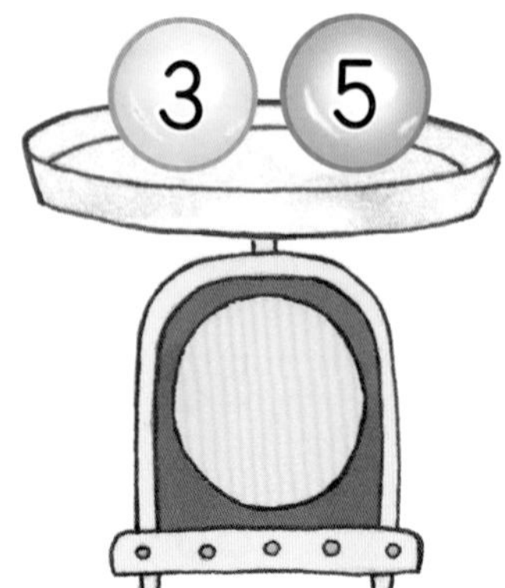

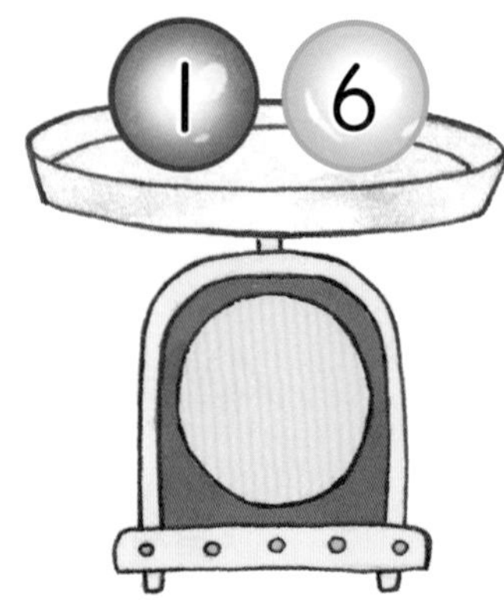

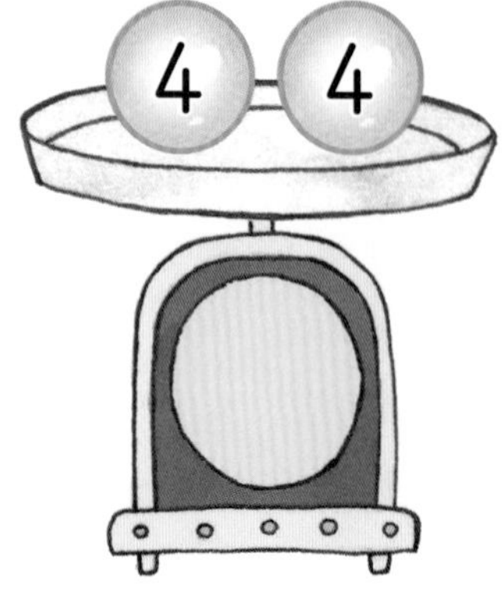

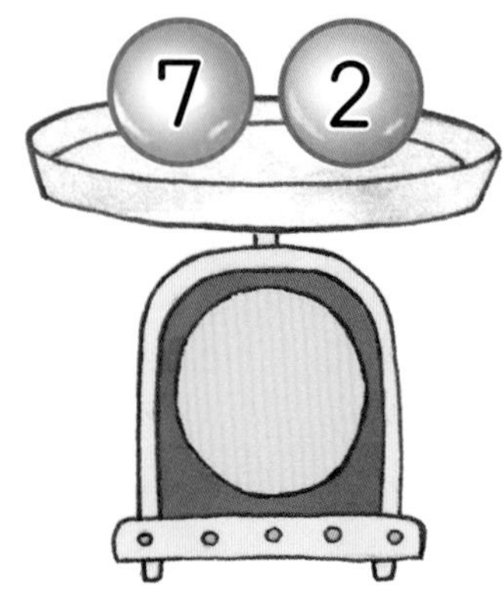

3
2
3+□
5

1
4

5
6

6
8

2
7

3
9

● 안에 알맞은 수를 써넣으시오.

표지판의 수가 되는 식을 따라 다람쥐를 친구에게 데려다 주시오.

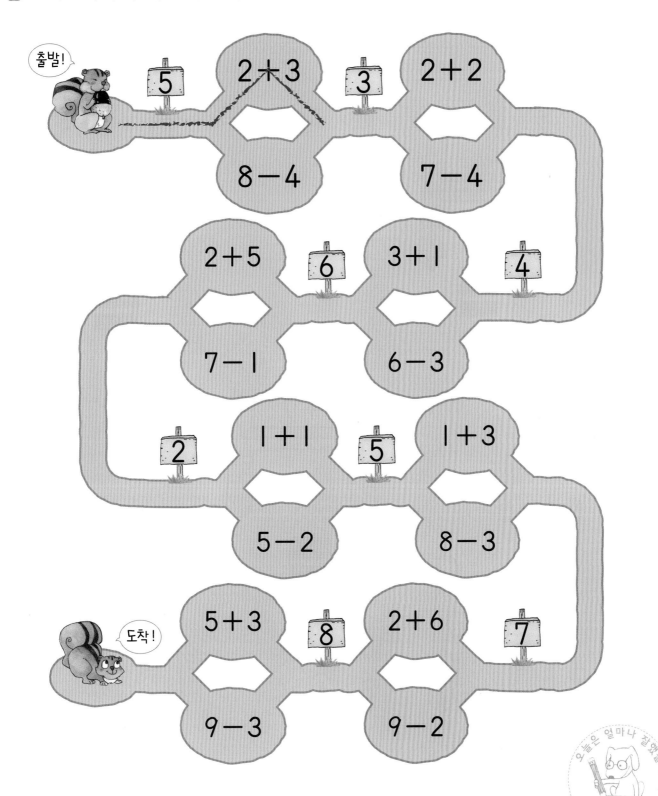

출발!

표지판	위	아래
5	2+3	8−4
3	2+2	7−4
4	3+1	6−3
6	2+5	7−1
2	1+1	5−2
5	1+3	8−3
7	2+6	9−2
8	5+3	9−3

도착!

오늘은 얼마나 잘했을까요?
칭찬 붙임 딱지를 붙여 주세요!

2 일차 사다리 셈

사다리타기를 하여 ▒ 안에 알맞은 수를 써넣으시오.

보기

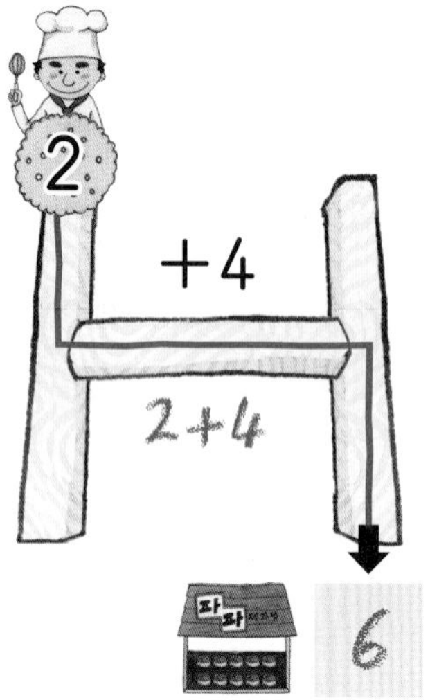

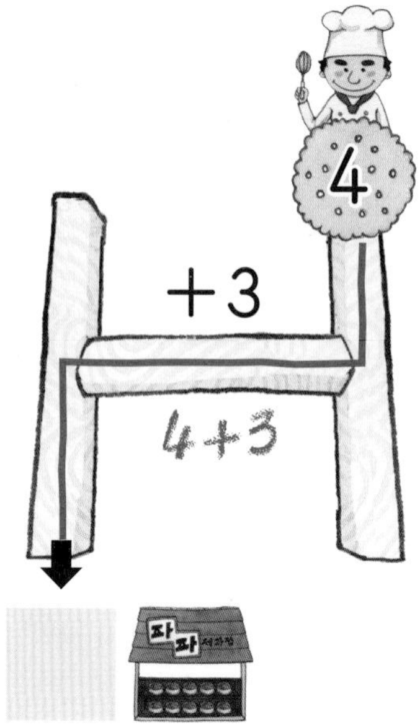

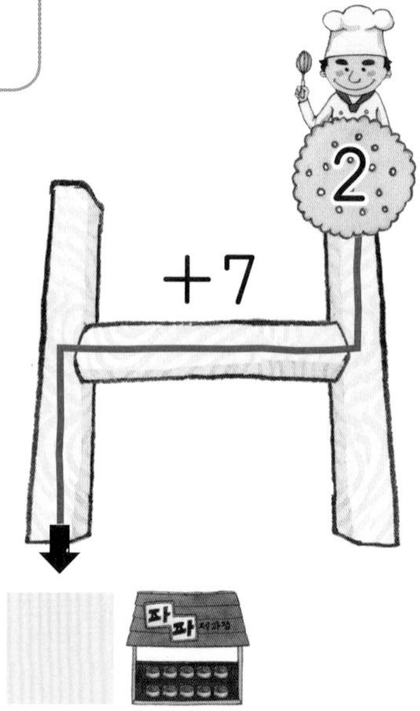

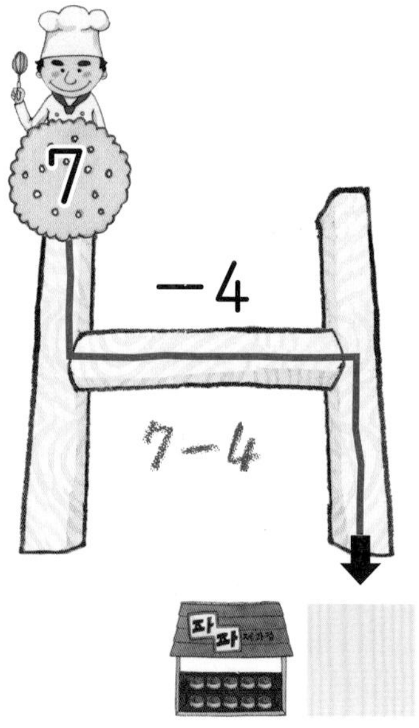

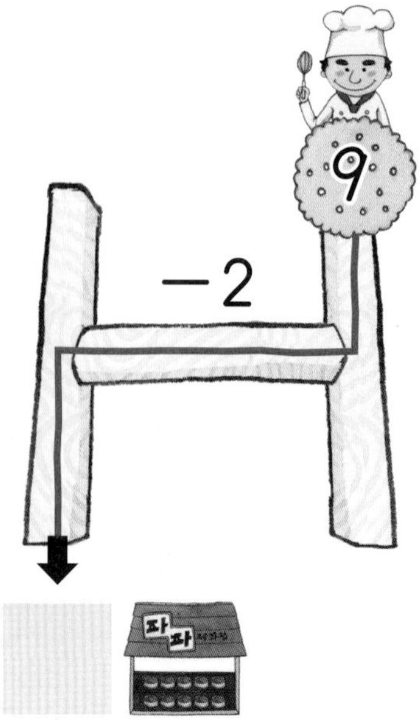

2
+4
2+4
파파제과점 6

4
+3
4+3
파파제과점

2
+7
파파제과점

7
−4
7−4
파파제과점

9
−2
파파제과점

3 + □ = 5

3+□

5 + □ = 9

5+□

2 + □ = 8

8 − □ = 4

8−□

9 − □ = 2

2
P04

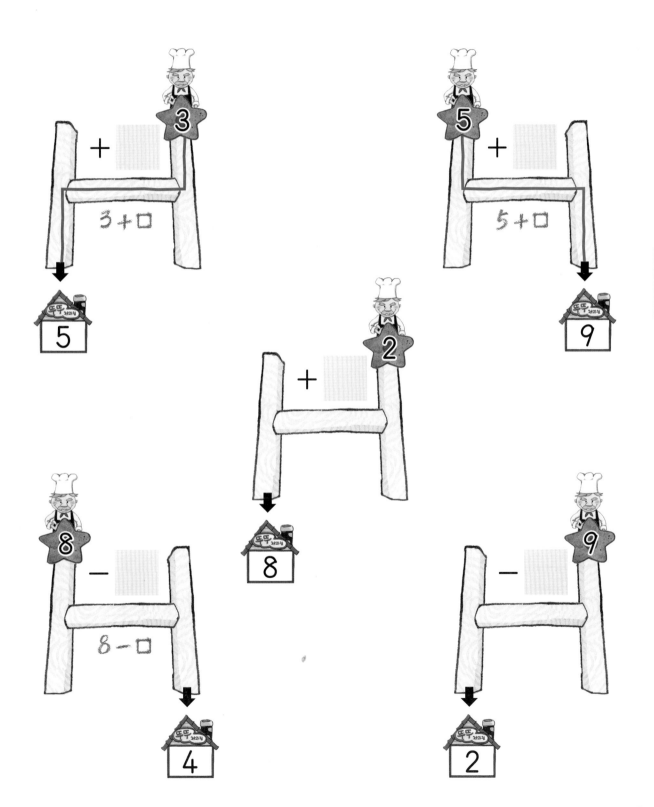

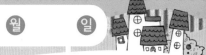

사다리타기를 하여 ▢ 안에 알맞은 수를 써넣으시오.

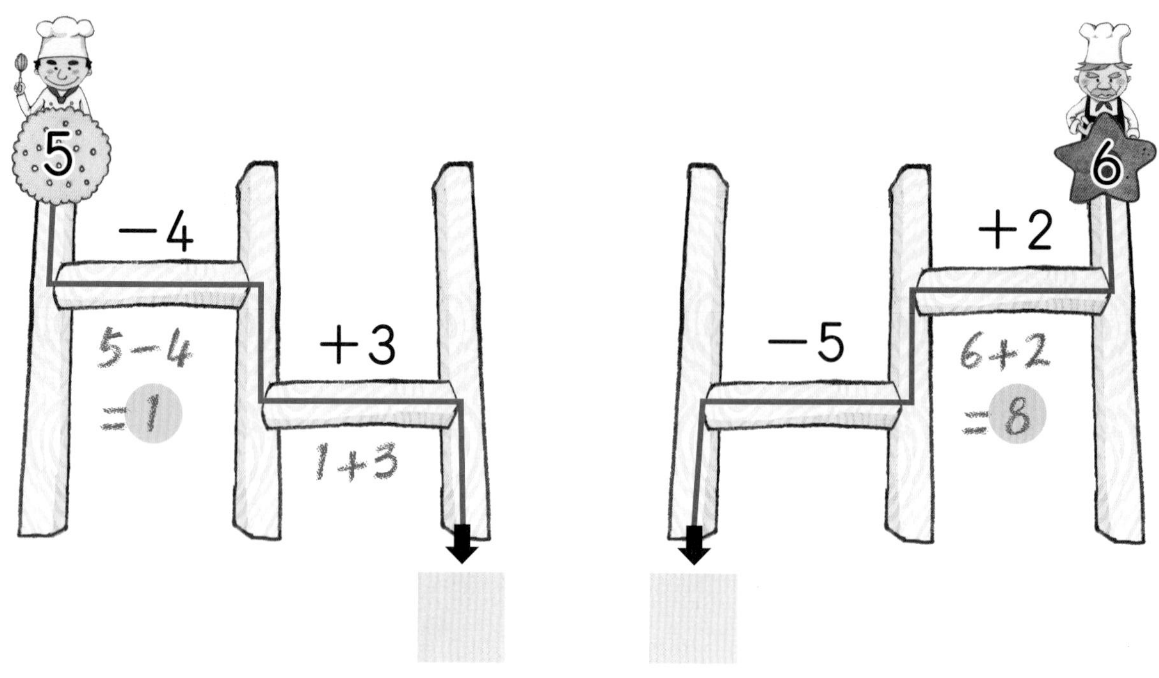

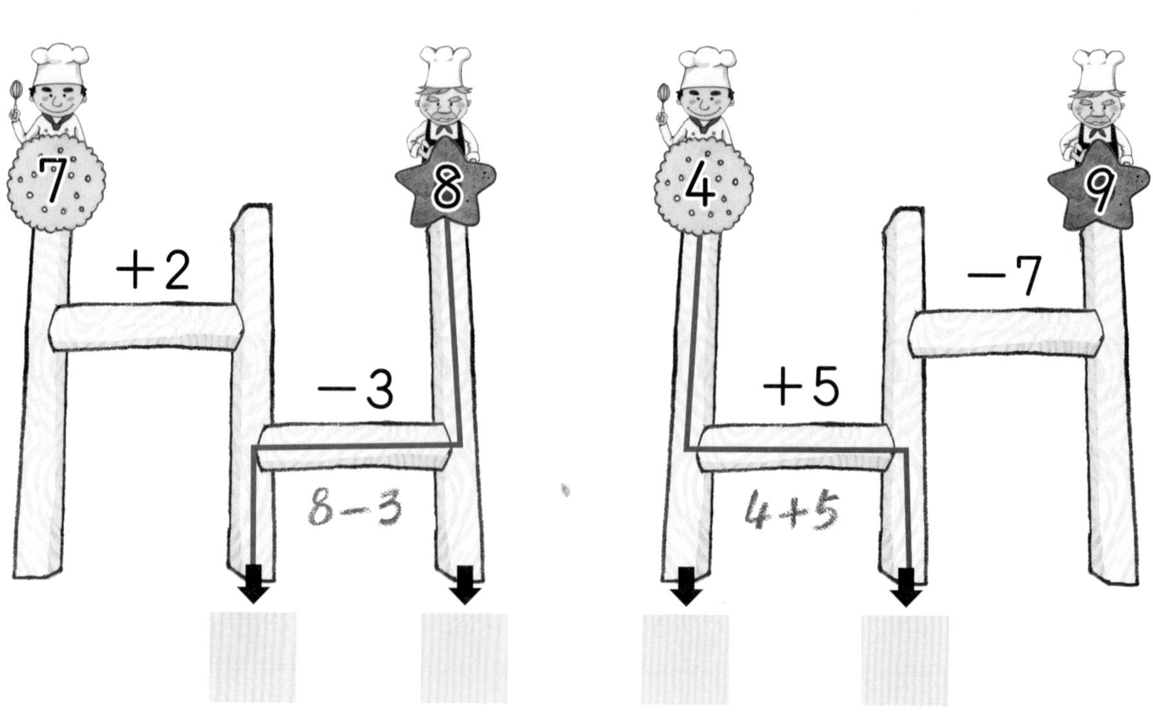

표에서 계산한 값의 색깔을 찾아 알맞게 색칠해 보시오.

준비물 ▸ 색연필

3+3

5−2

8−3

3+4

2+6

9−5

6	4	8	3	5	7

규칙 셈

규칙을 찾아 ▒ 안에 알맞은 수를 써넣으시오.

보기

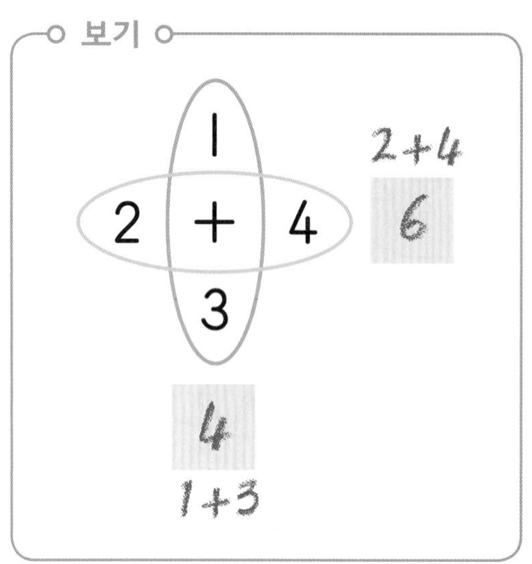

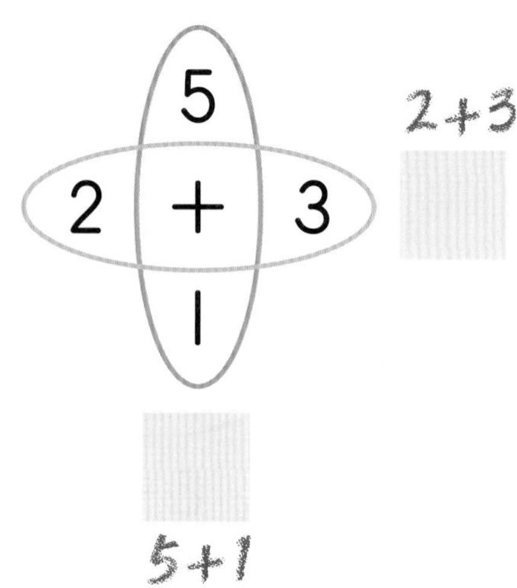

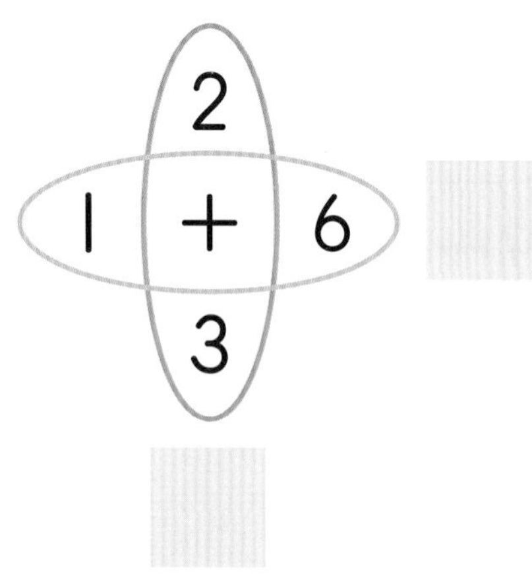

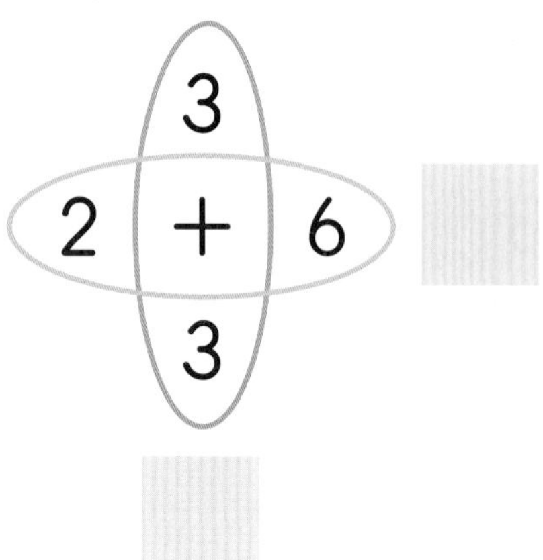

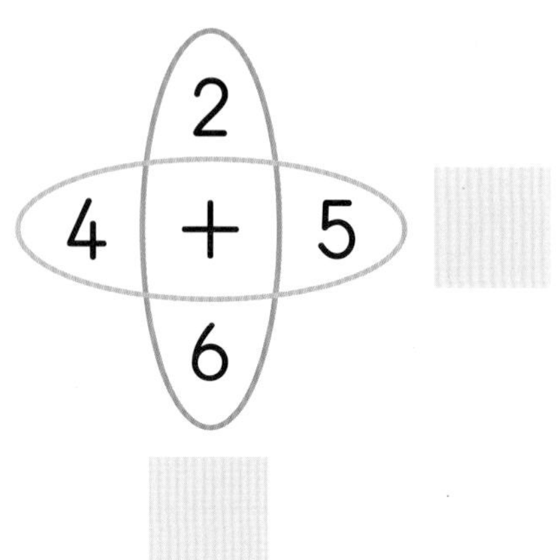

4−1

5
4 − 1
3

5−3

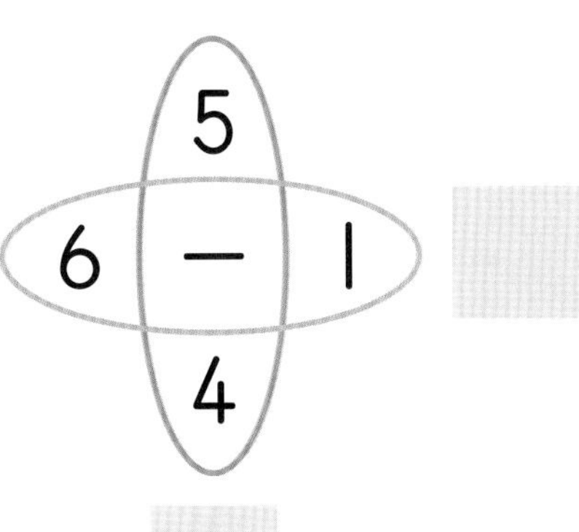

5
6 − 1
4

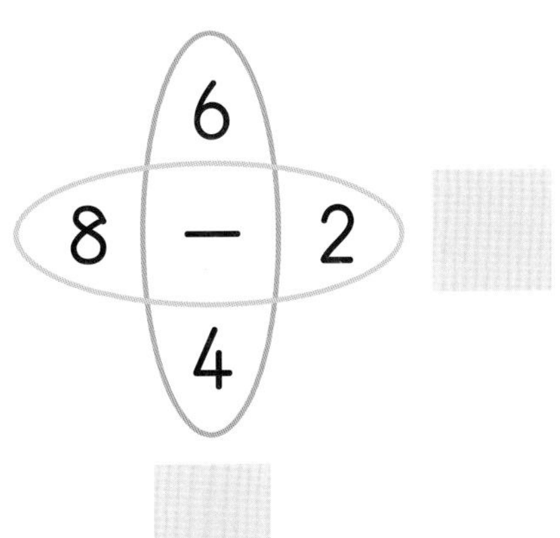

6
8 − 2
4

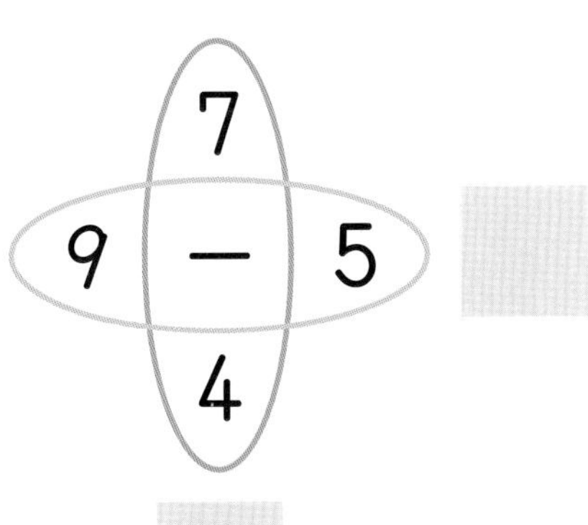

7
9 − 5
4

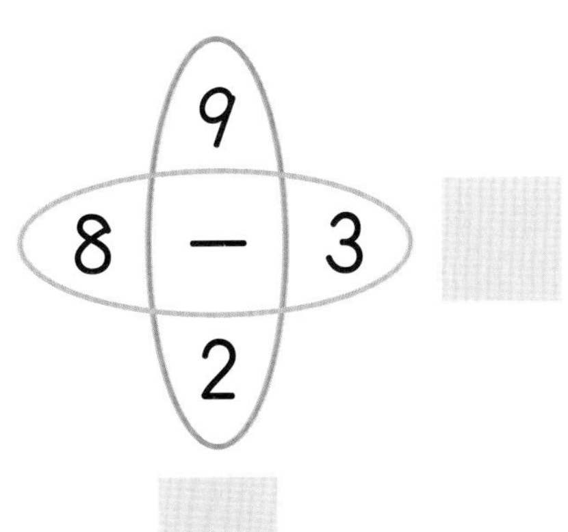

9
8 − 3
2

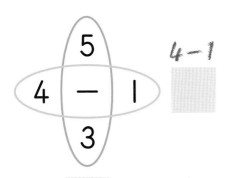

규칙을 찾아 ▒ 안에 알맞은 수를 써넣으시오.

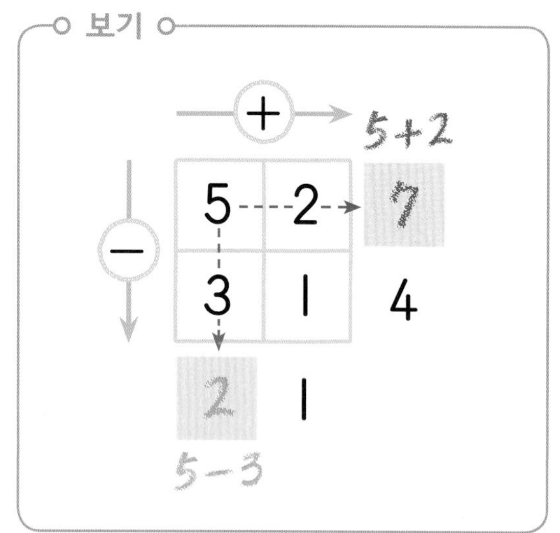

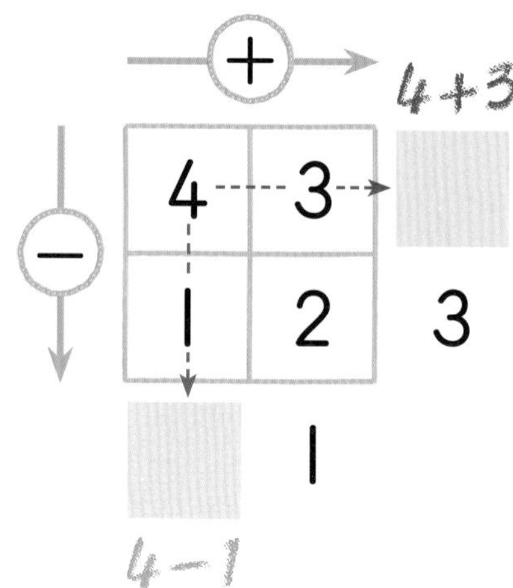

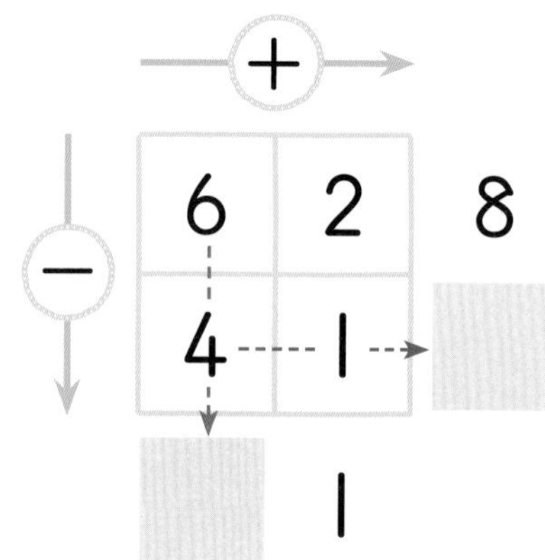

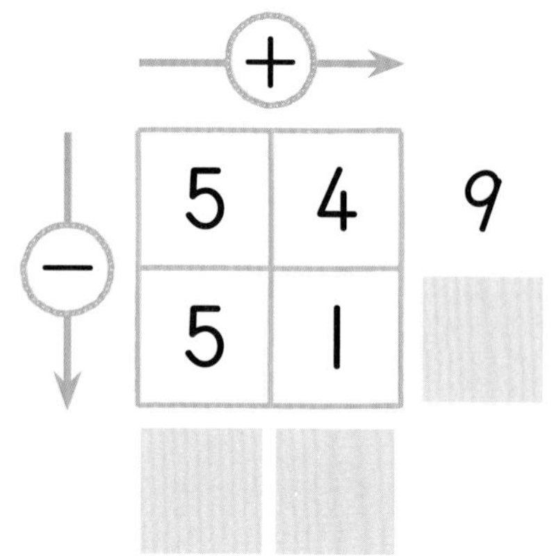

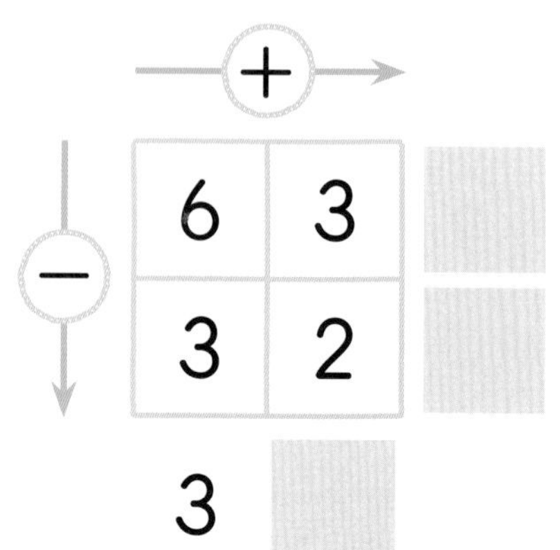

화살표를 따라 계산하고 계산한 값의 순서대로 점을 이어 보시오.

시작 ➡ 2+3 ➡ 8−6 ➡ 2+5 ➡ 6−2 ➡ 4+4

➡ 9−8 ➡ 3+3 ➡ 8−5 ➡ 7+2 ➡ 끝

시작

5

끝

2

7

4

3

9

1

8

6

2

P04

오늘은 얼마나 잘했을까요?

칭찬 붙임 딱지를 붙여 주세요!

수 상자 셈

☆ 안에 알맞은 수를 써넣으시오.

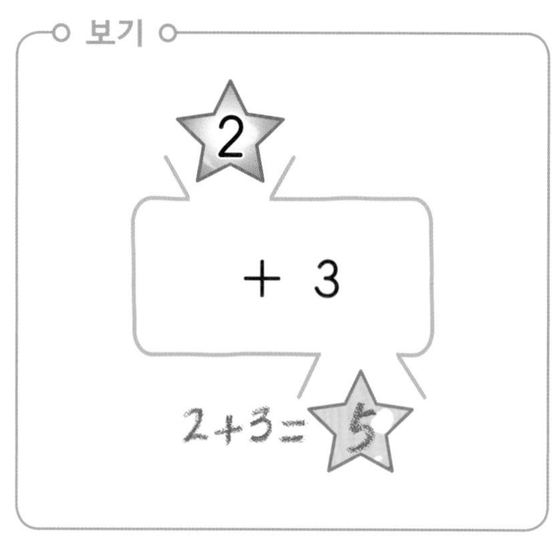

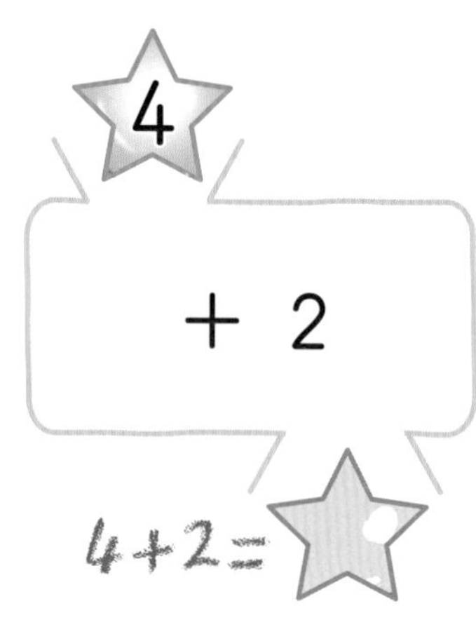

6

− 3

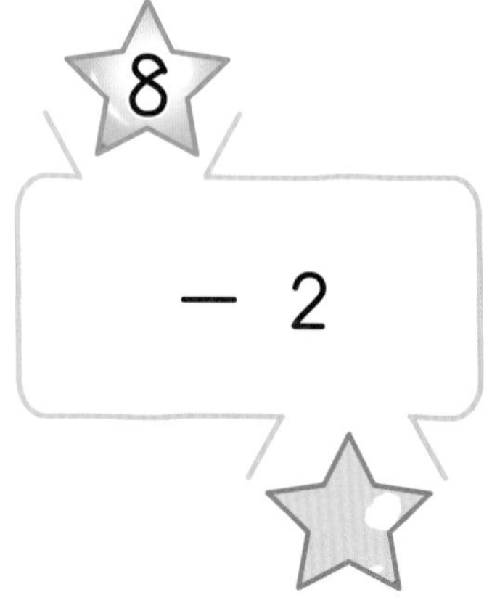

빈 곳에 알맞은 수를 써넣으시오.

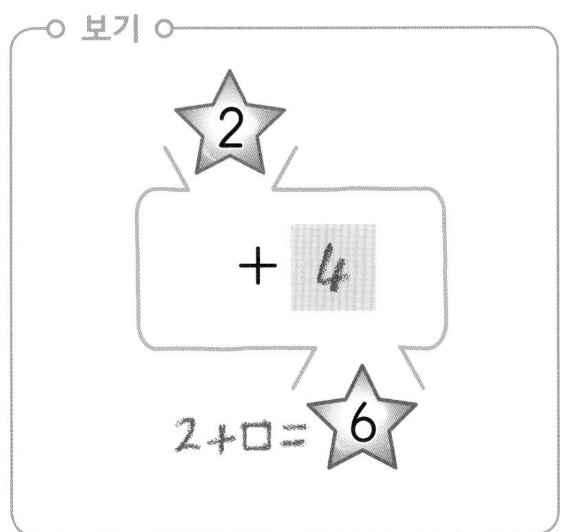

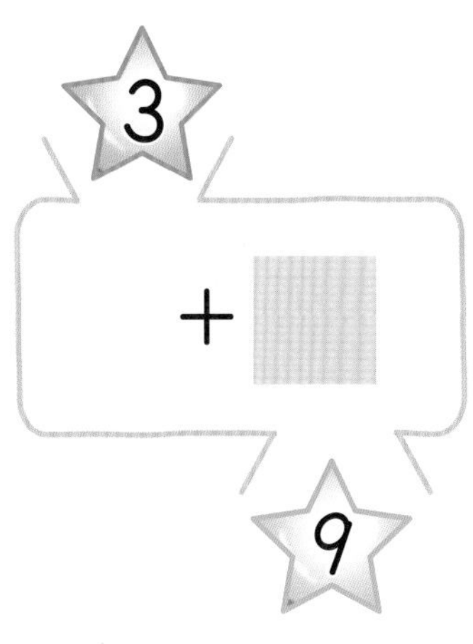

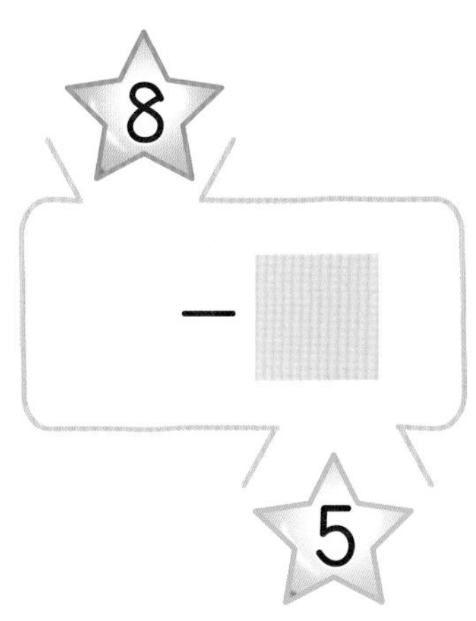

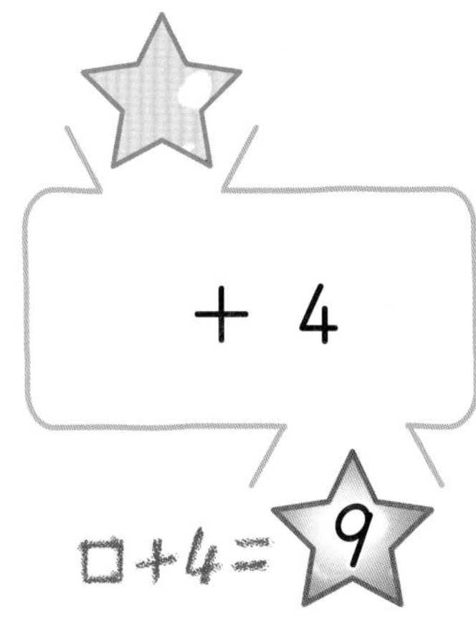

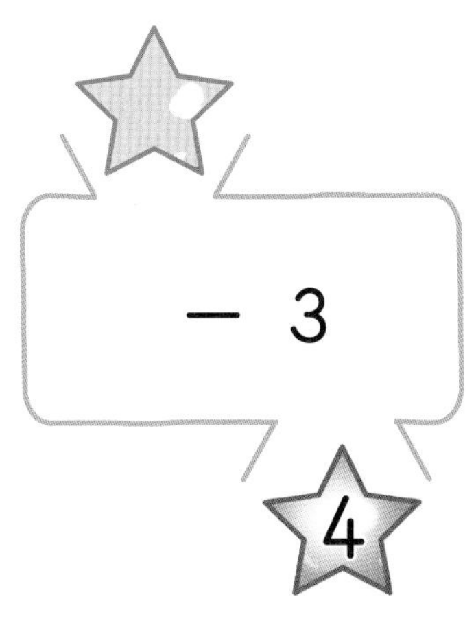

2
P04

☆ 안에 알맞은 수를 써넣으시오.

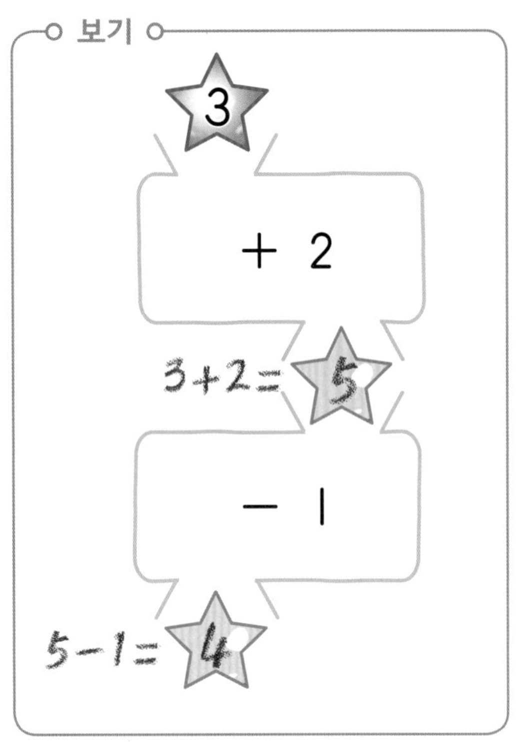

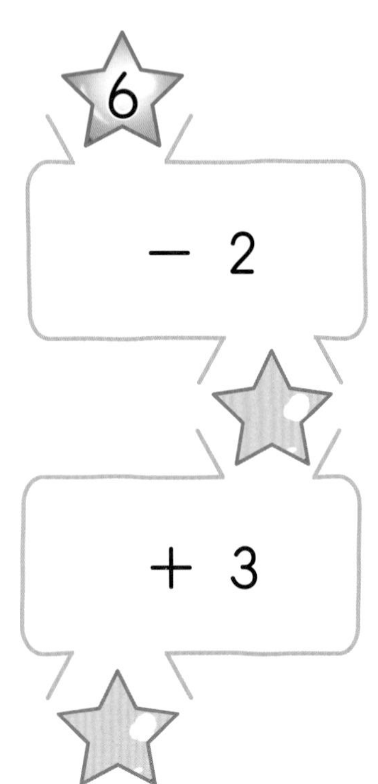

계산을 하여 관계있는 것끼리 연결하시오.

오늘은 얼마나 잘했을까요?
칭찬 붙임 딱지를 붙여 주세요!

올바른 계산식이 되도록 선을 그어 보시오.

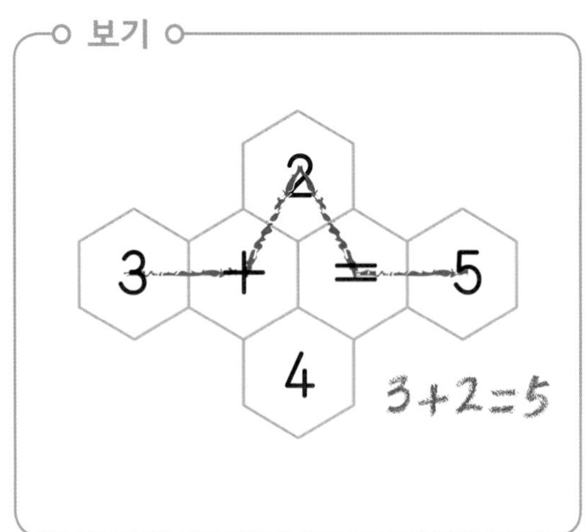

	3		
1	+	=	4
	4		

	5		
2	+	=	6
	4		

	2		
5	+	=	7
	3		

	6		
3	+	=	8
	5		

	2		
7	+	=	9
	1		

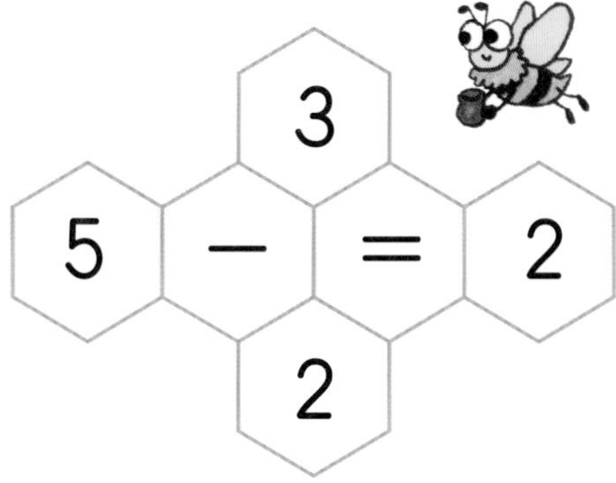
3
5 − = 2
2

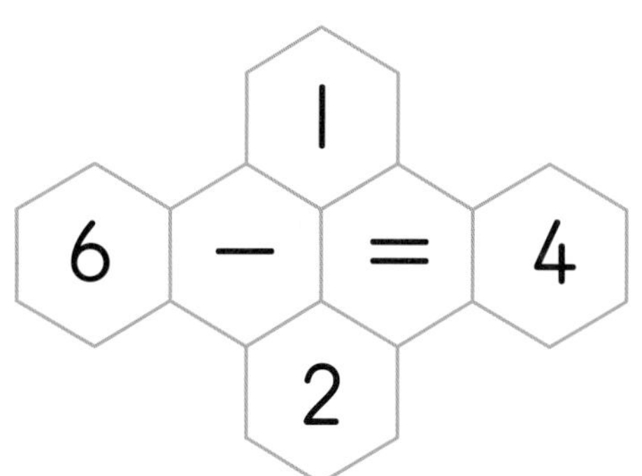
1
6 − = 4
2

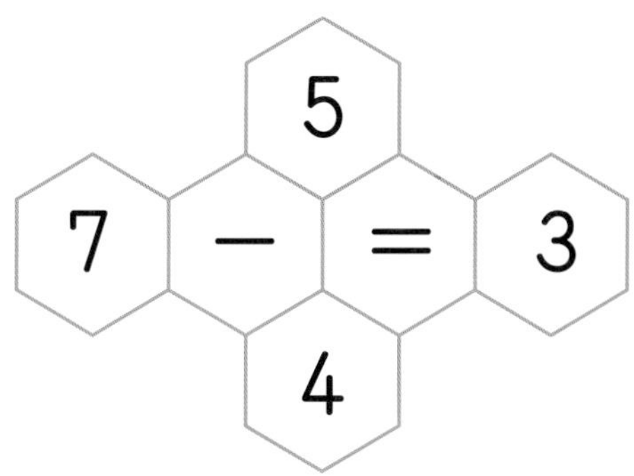
5
7 − = 3
4

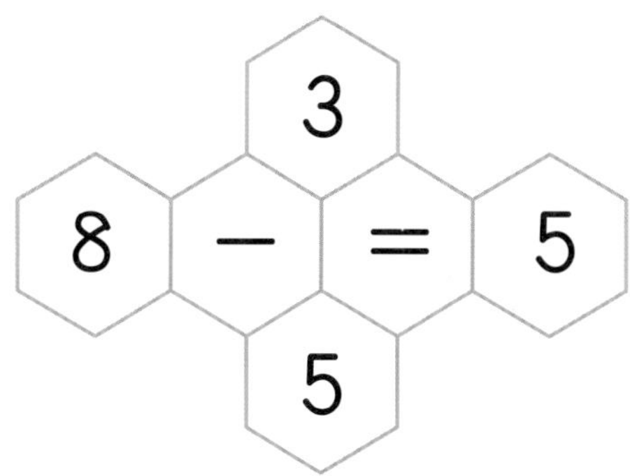
3
8 − = 5
5

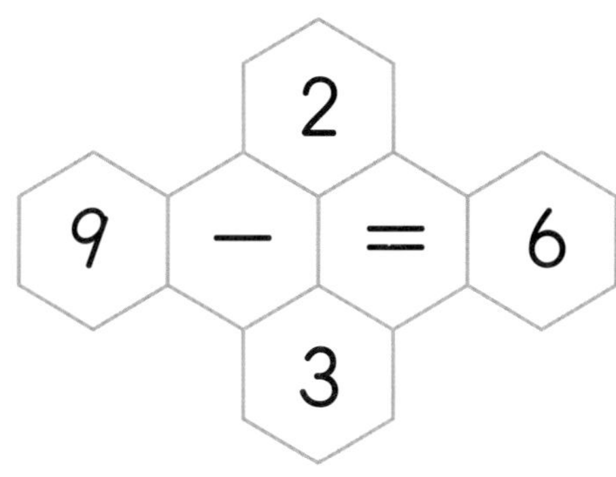
2
9 − = 6
3

올바른 계산식이 되도록 선을 그어 보시오.

보기

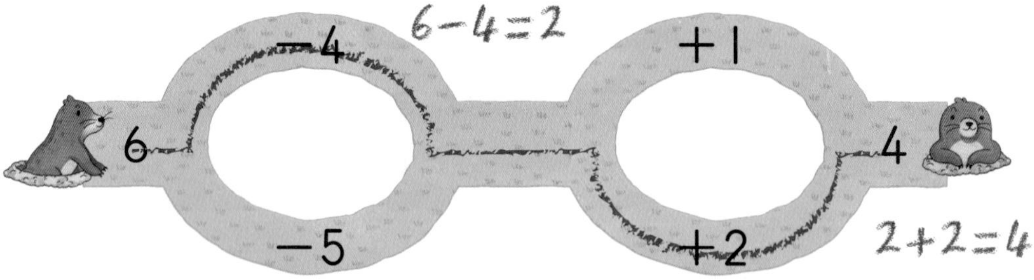

6 (−4, −5) (+1, +2) 4

6−4=2

2+2=4

7 (−5, −3) (+2, +1) 5

4 (+4, +5) (−3, −1) 6

8 (−6, −4) (+2, +5) 7

계산한 값을 표에서 찾아 색칠하여 열쇠의 비밀번호를 찾아보시오.

8－6

=2

2＋5

4＋4

9－3

6－2

2＋7

2	4	6
8	3	7
1	5	9

운이 좋으시군요~

오늘은 얼마나 잘했을까요?
칭찬 붙임 딱지를 붙여 주세요!

P04 작은 수의 덧셈과 뺄셈

학습관리표

일 자			소요 시간	틀린 문항 수	확인
1 일차	월	일	:		
2 일차	월	일	:		
3 일차	월	일	:		
4 일차	월	일	:		
5 일차	월	일	:		

3 주

1 일차 수 막대 셈

안에 알맞은 수를 써넣으시오.

보기

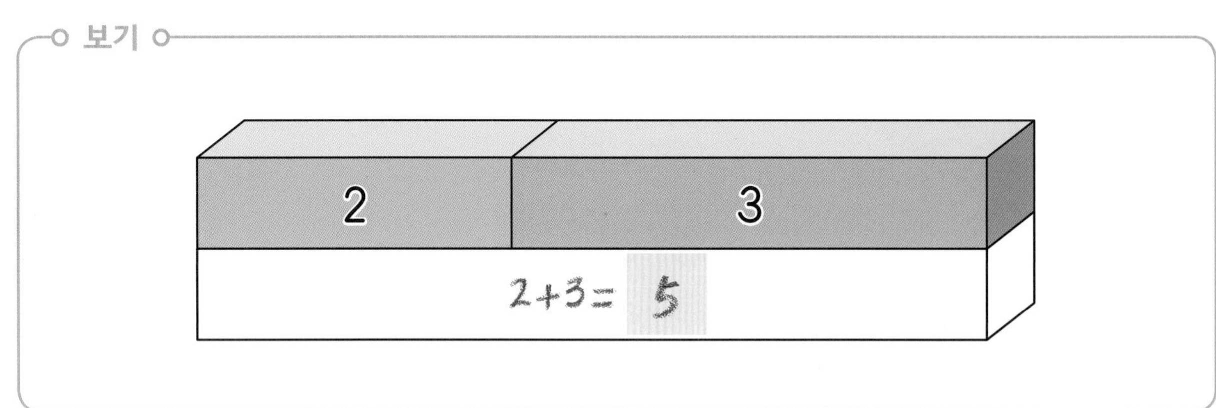

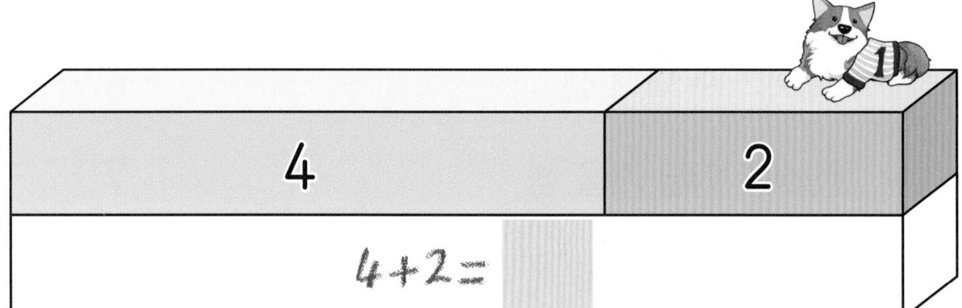

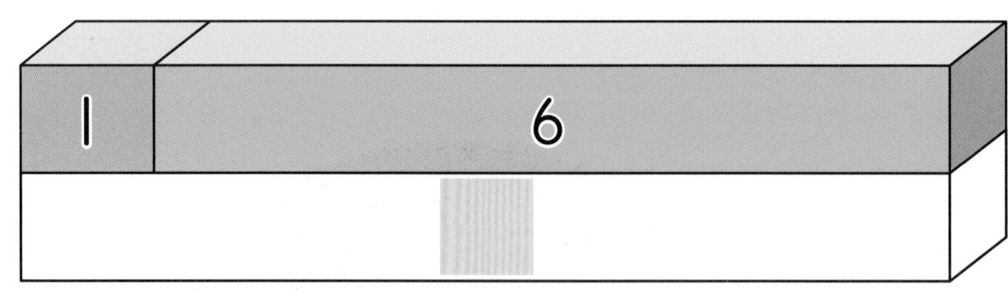

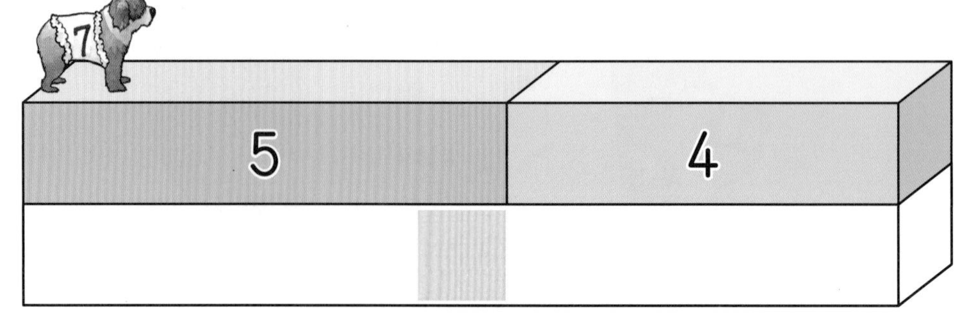

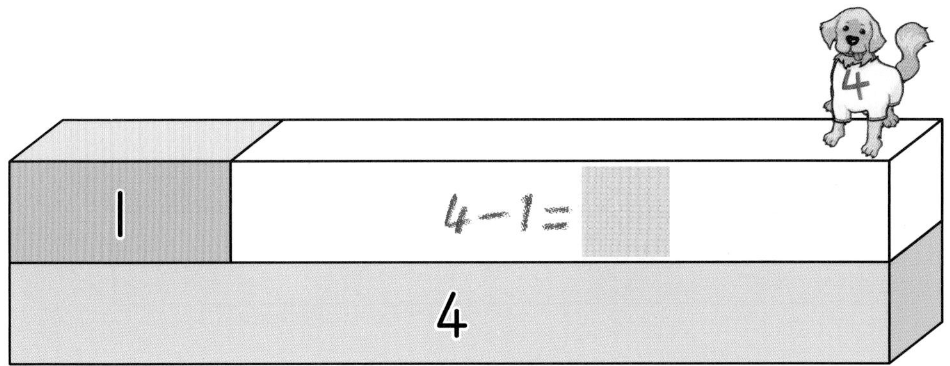
4
1
4-1=
4

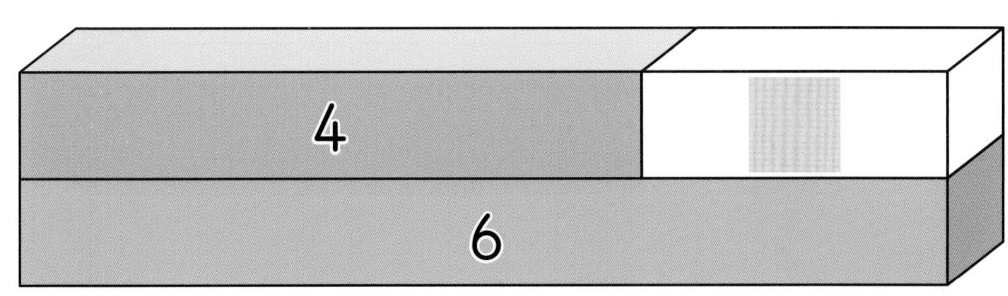
4
6

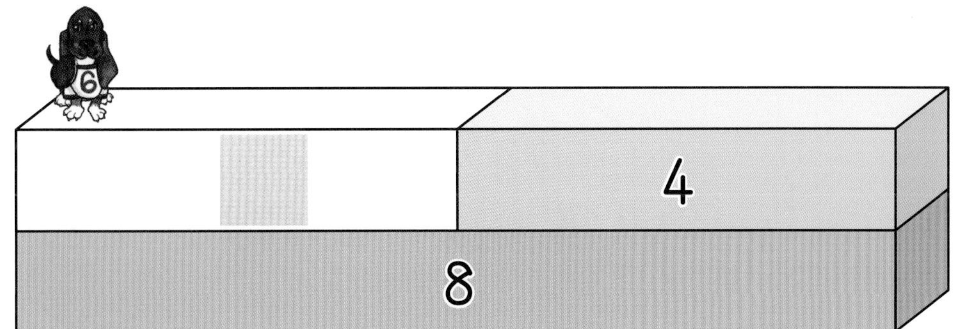
6
4
8

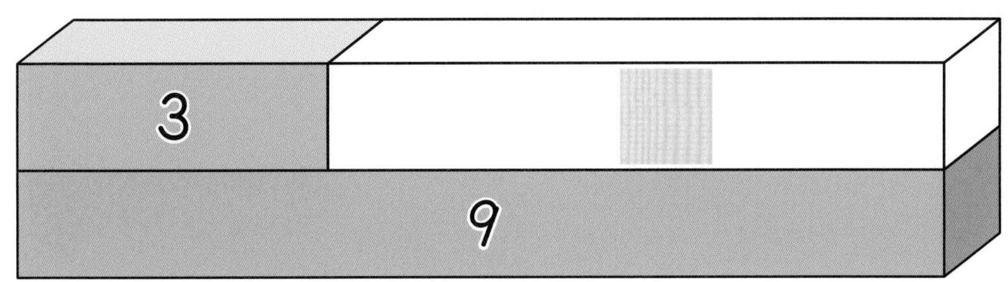
3
9

□ 안에 알맞은 수를 써넣으시오.

보기

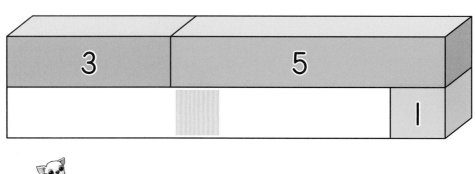

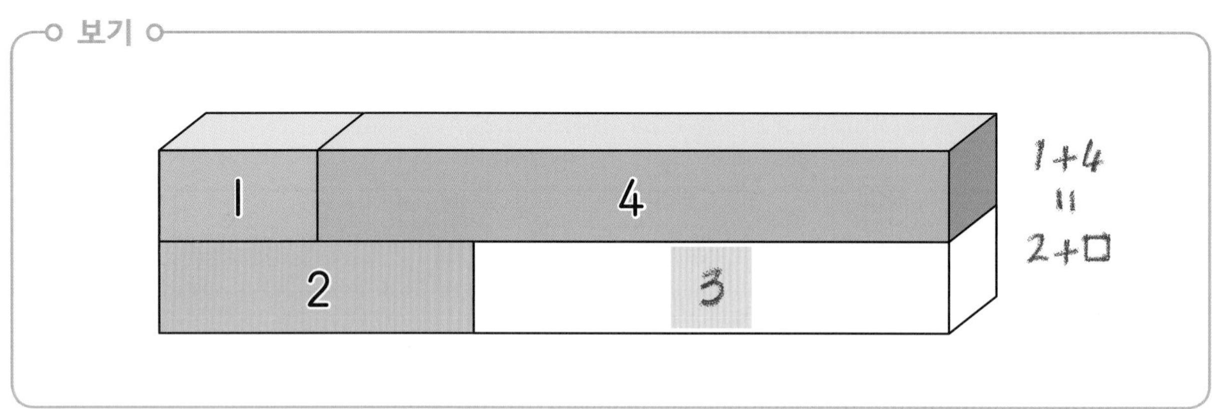

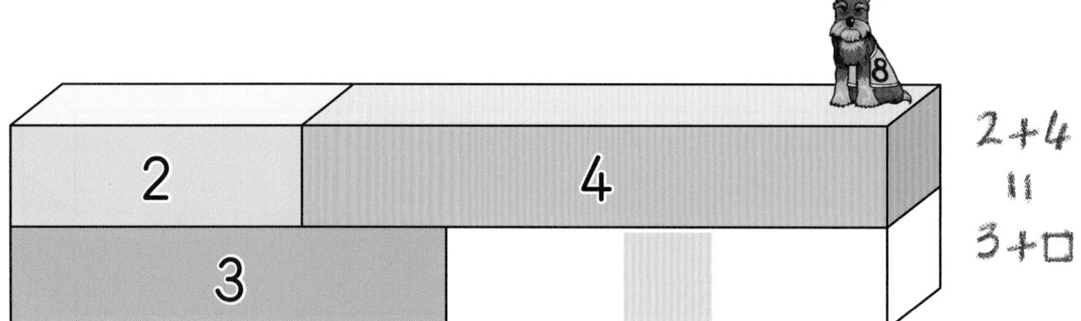

3 5

□ 1

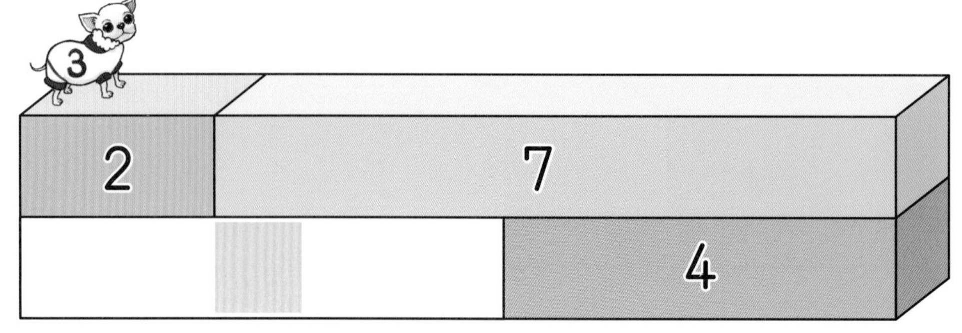

공부한 날
월
일

1
2
2
1+□
=
2+2

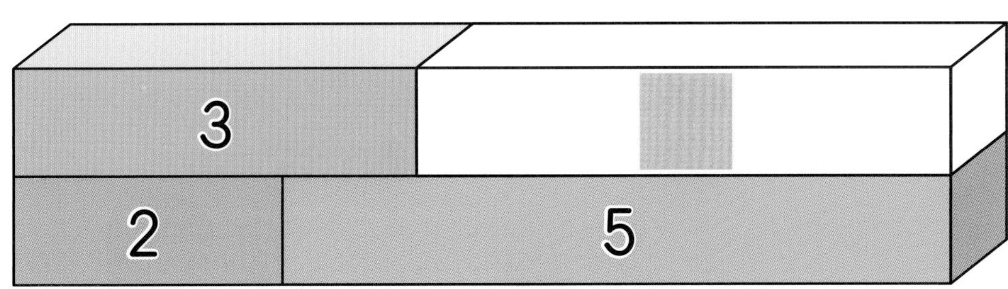
3
2
5

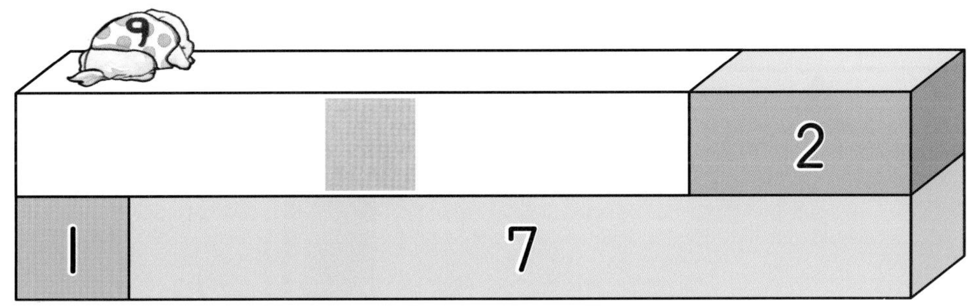
2
1
7

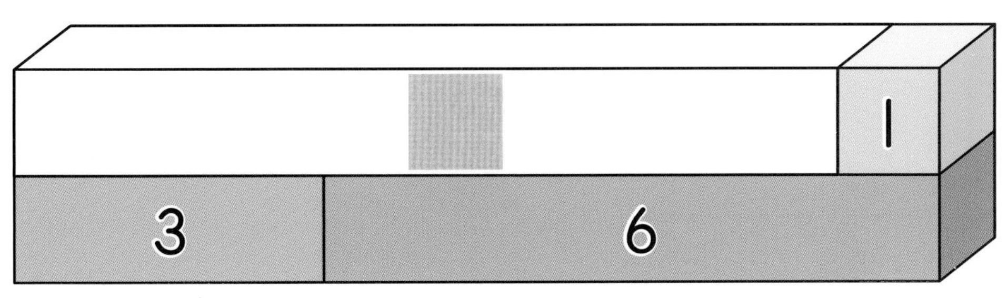
1
3
6

오늘은 얼마나 잘했을까요?
칭찬 붙임 딱지를
붙여 주세요!

2 일차 양팔 저울 셈

양팔 저울이 수평을 이루도록 빈 곳에 알맞은 과일을 찾아 붙임 딱지를 붙이시오.

준비물 ▸ 붙임 딱지

〈과일의 무게〉

1	2	3	4	5	6	7	8	9
체리	오렌지	감	배	사과	복숭아	포도	멜론	파인애플

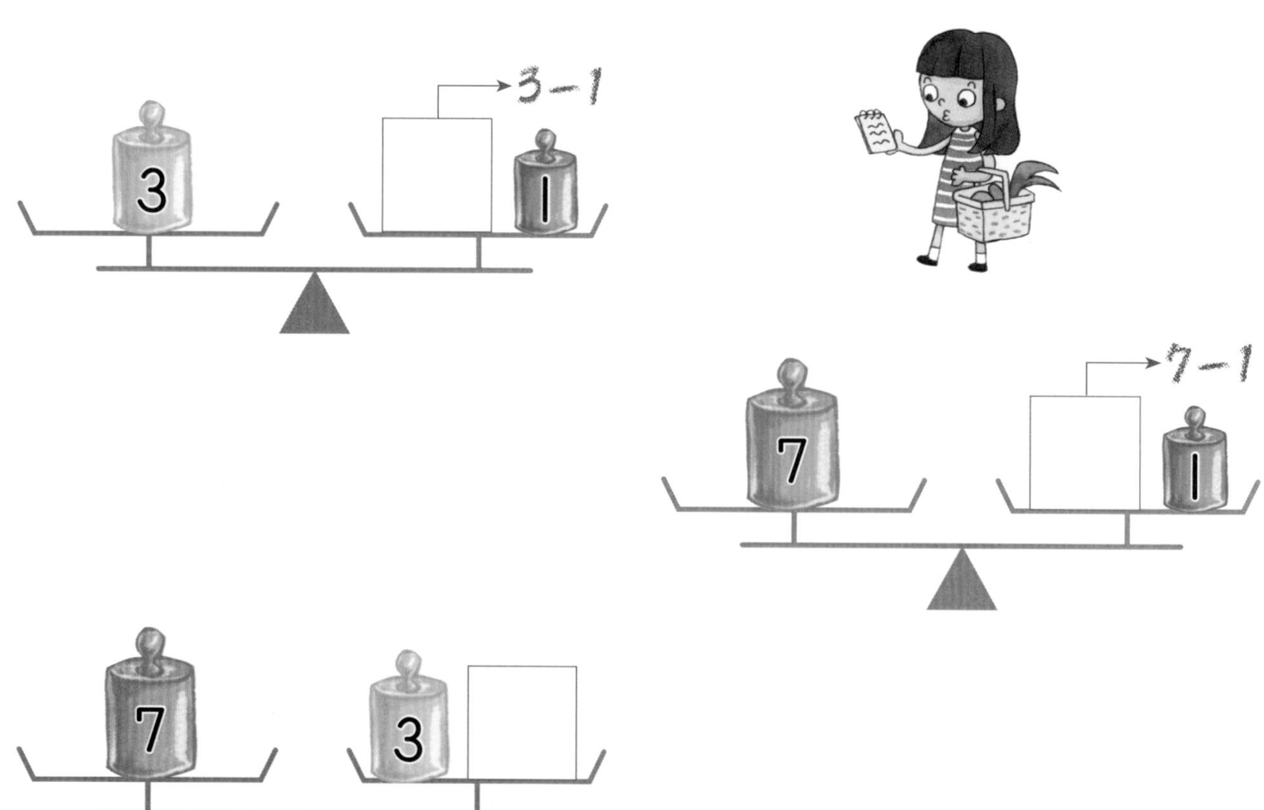

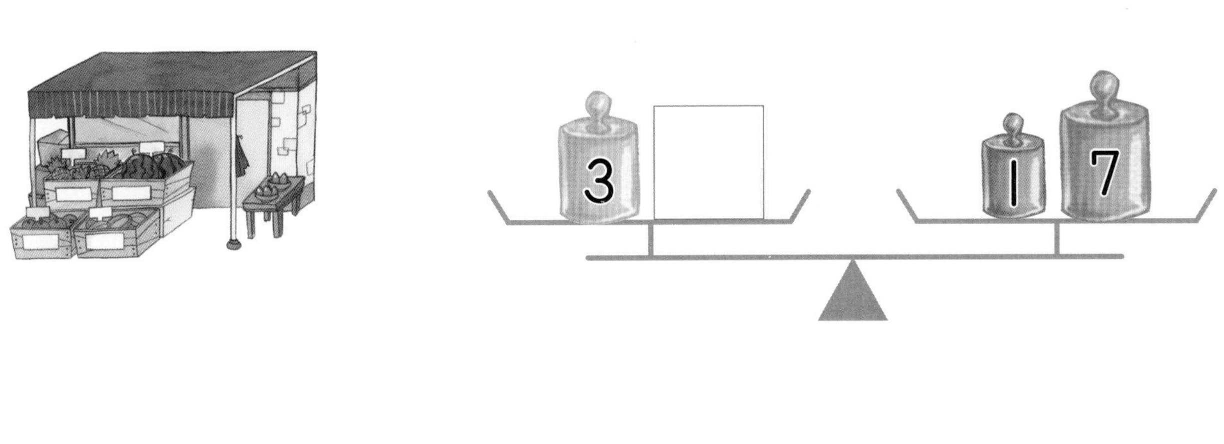

3
1
7

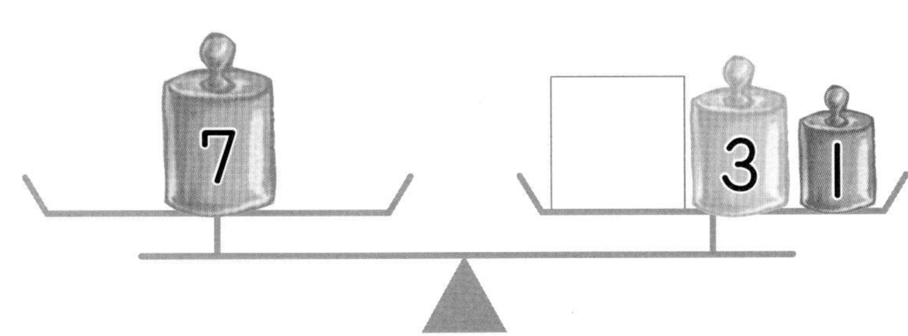

7
3
1

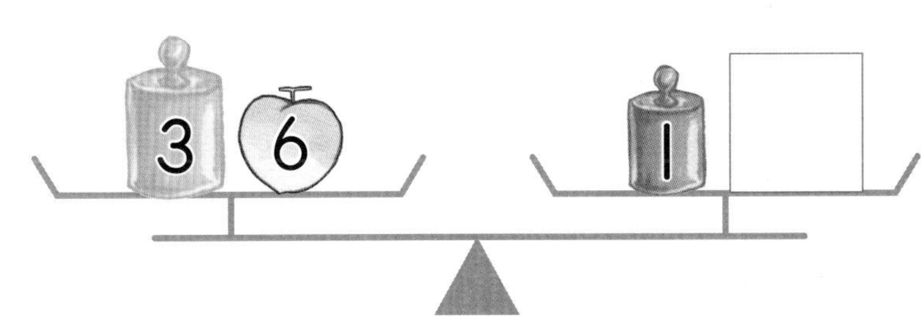

3
6
1

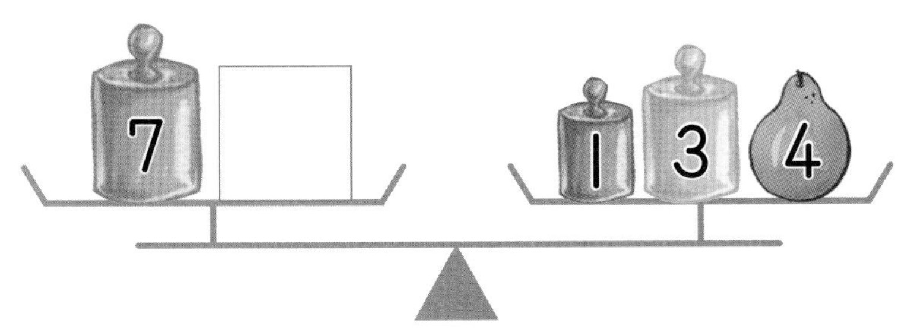

7
1
3
4

양팔 저울이 수평을 이루도록 주어진 추를 알맞게 놓아 보시오.

1 5 8

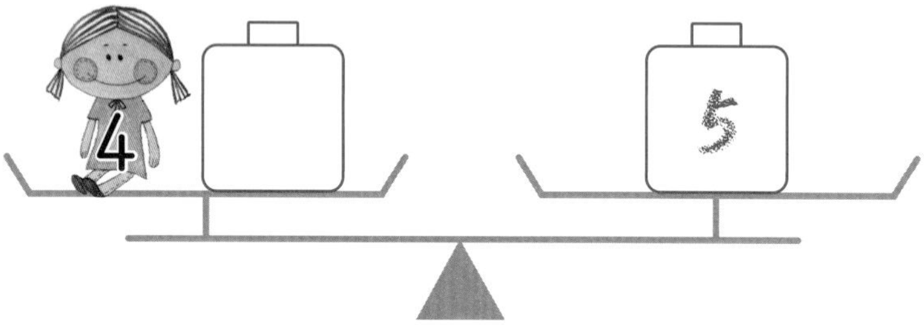

4 □ | 5

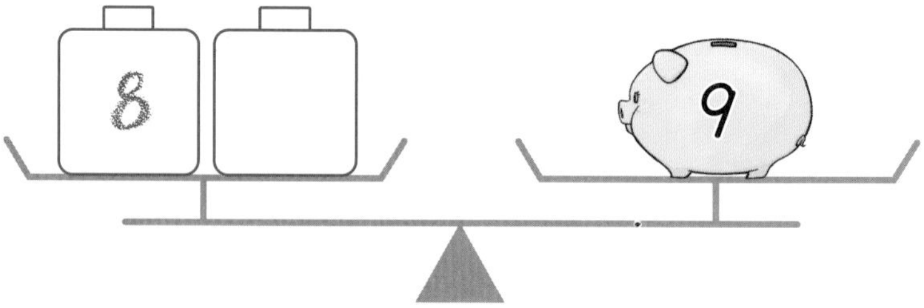

8 □ | 9

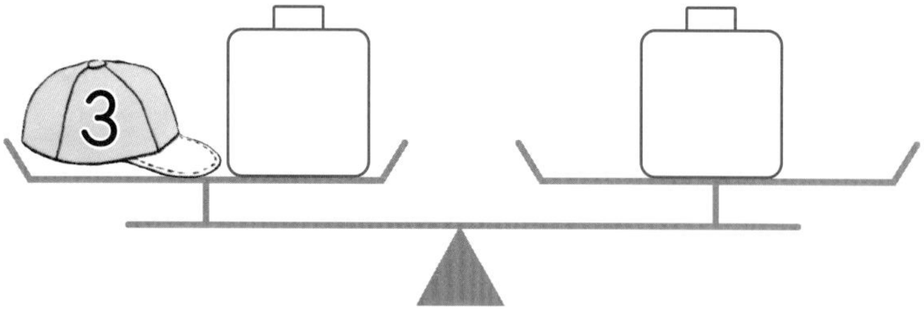

3 □ | □

□ □ | 4 □

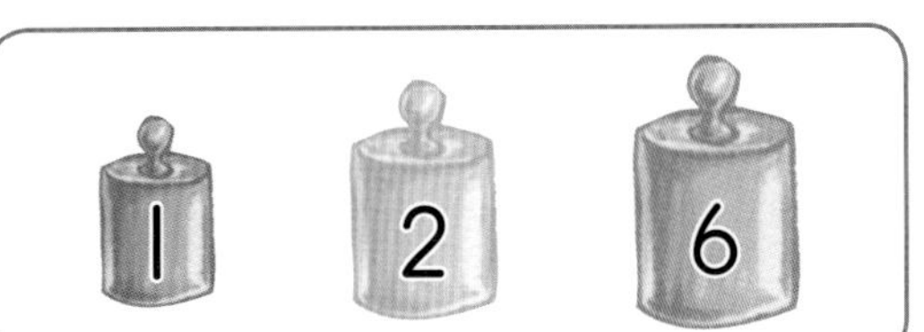
1
2
6

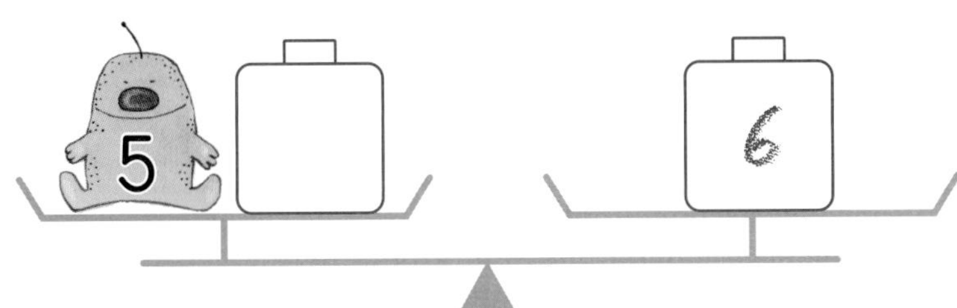
5
6

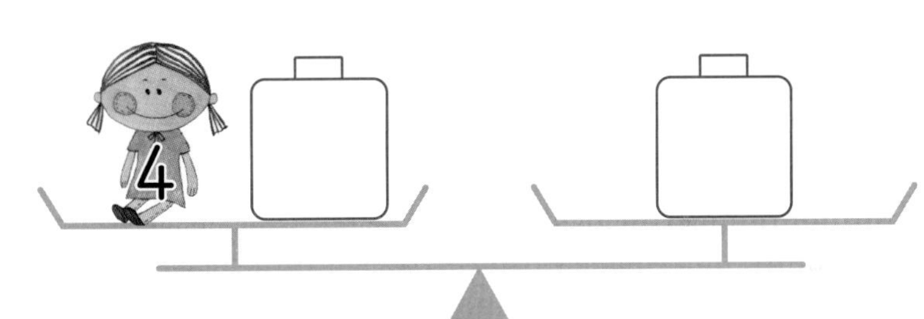
4

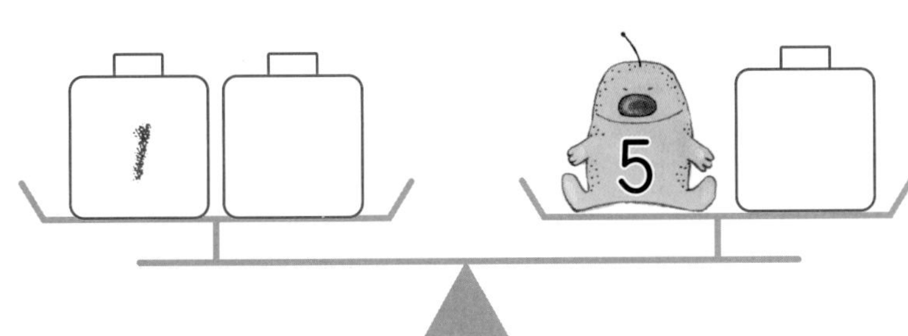
1
5

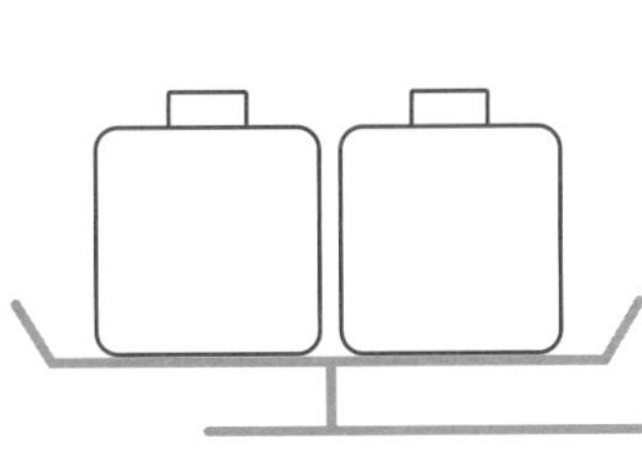

7

오늘은 얼마나 잘했을까요?
칭찬 붙임 딱지를
붙여 주세요!

수직선 셈

안에 알맞은 수를 써넣으시오.

보기

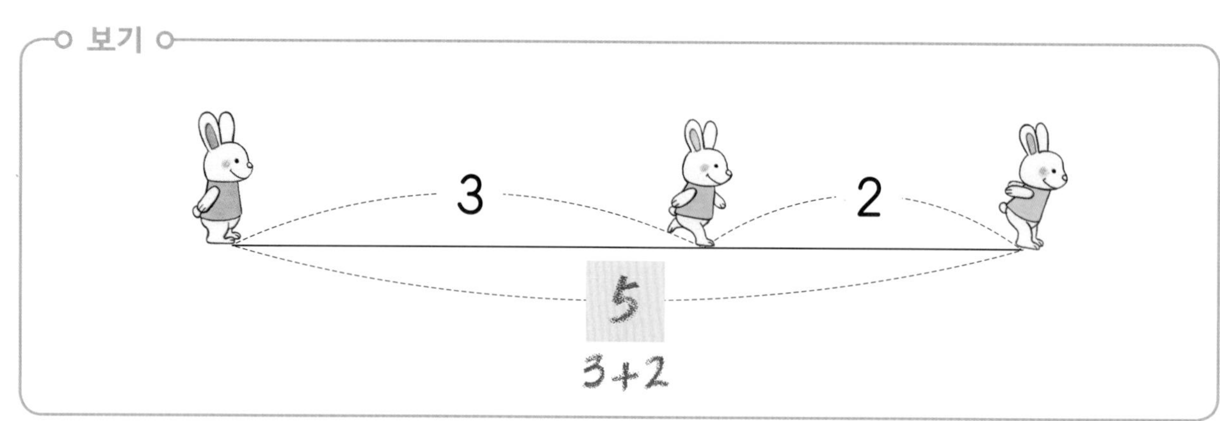

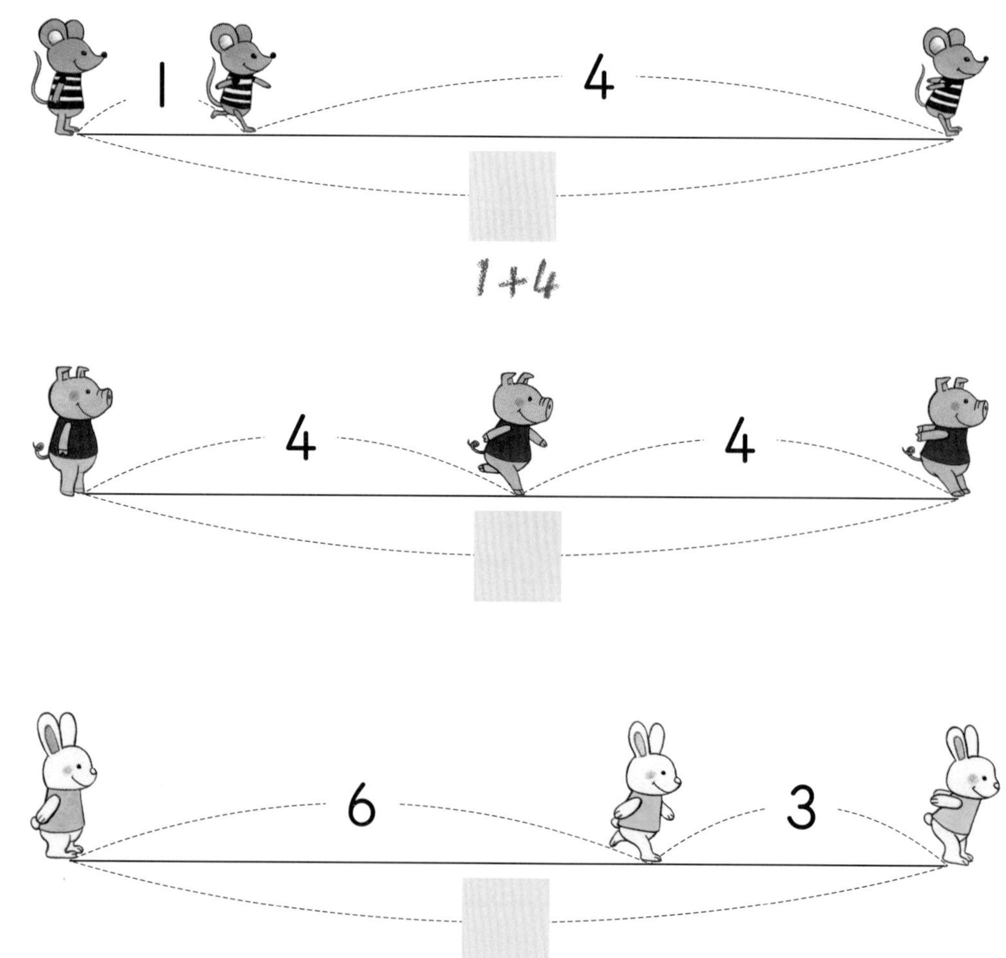

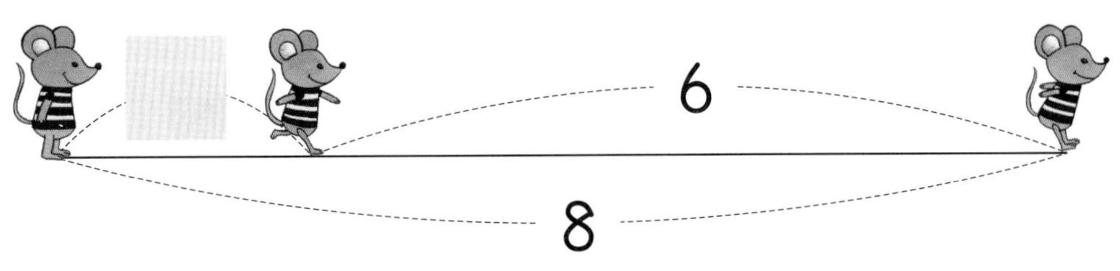

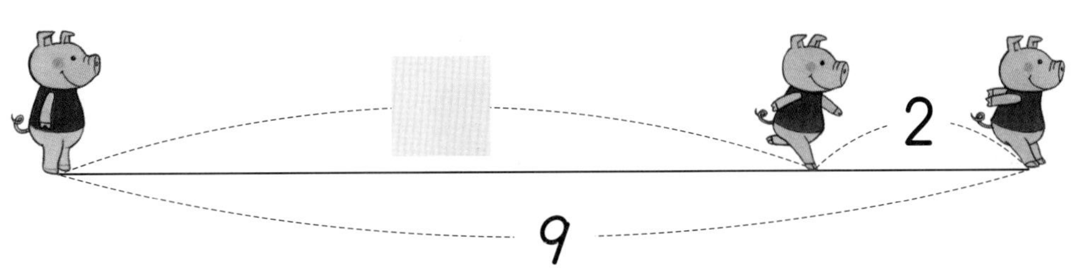

3
P04

안에 알맞은 수를 써넣으시오.

보기

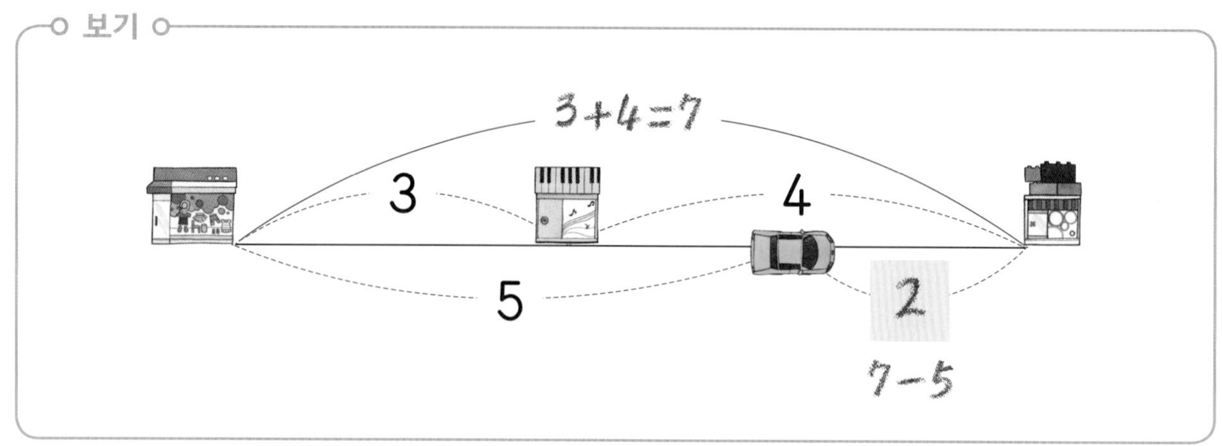

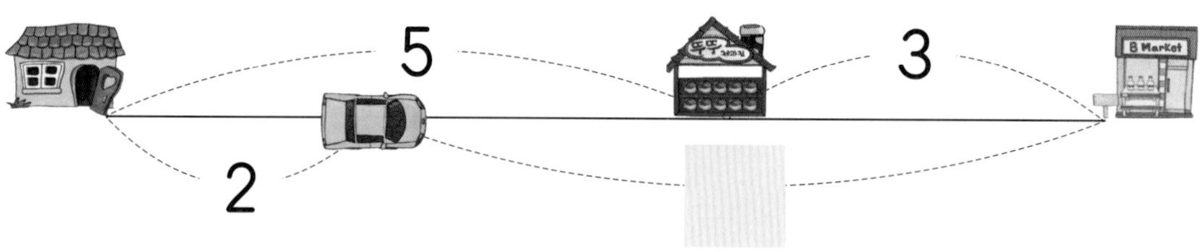

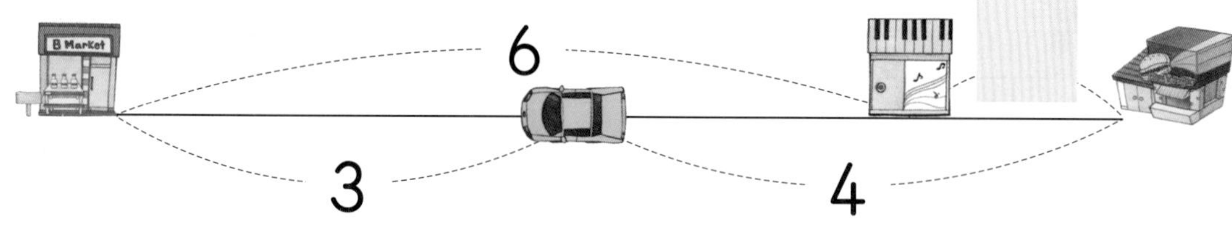

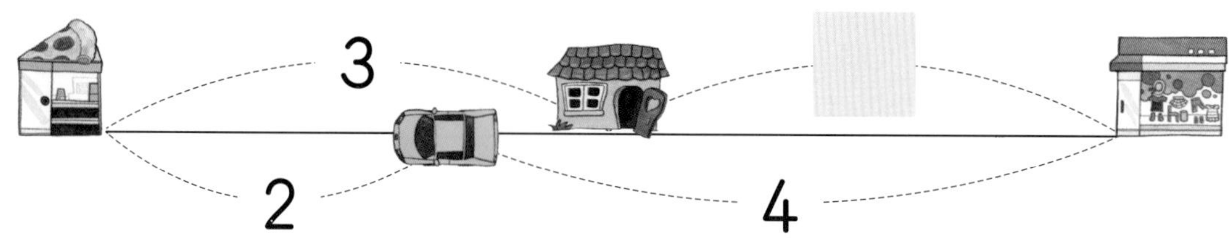

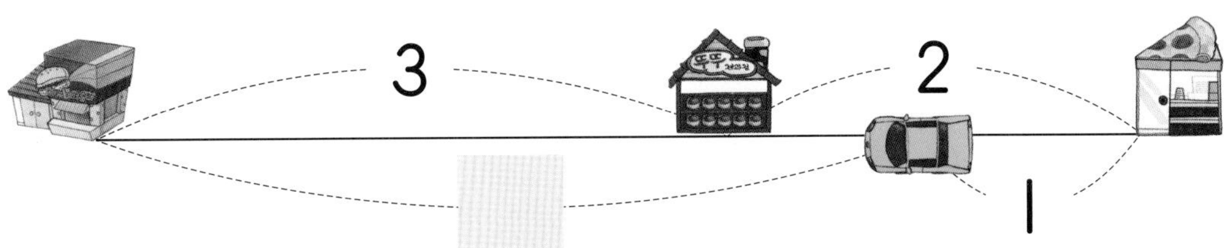

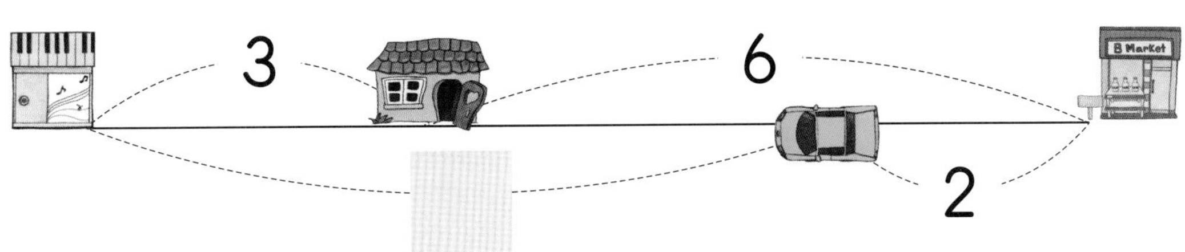

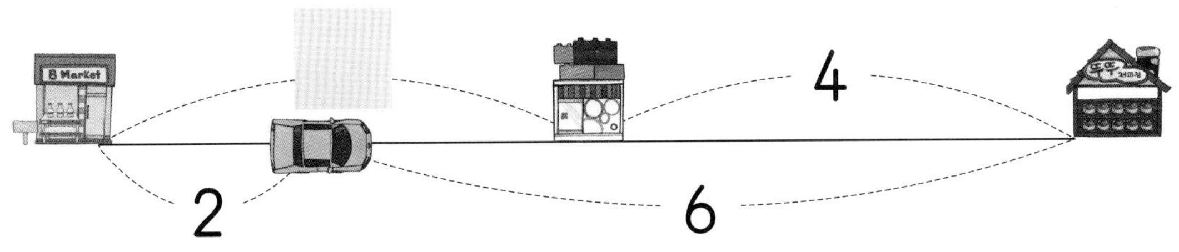

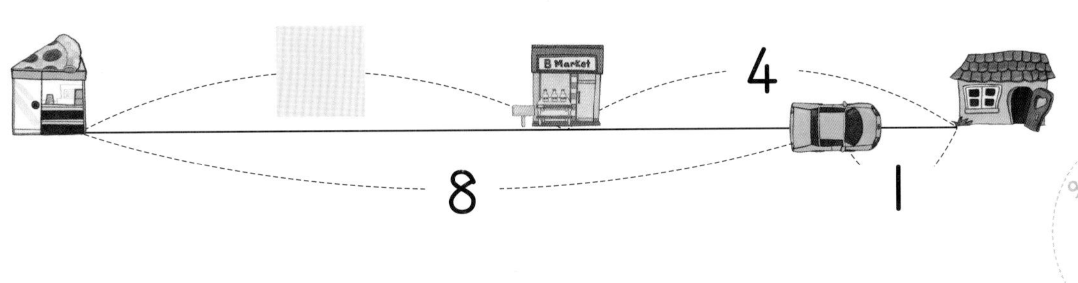

오늘은 얼마나 잘했을까요?
칭찬 붙임 딱지를 붙여 주세요!

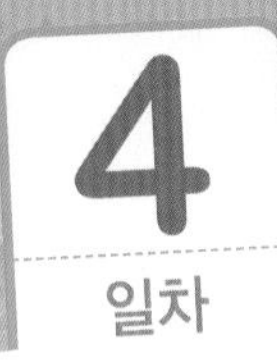

도미노 연산

주어진 조건을 만족하도록 도미노의 눈을 그려 넣으시오.

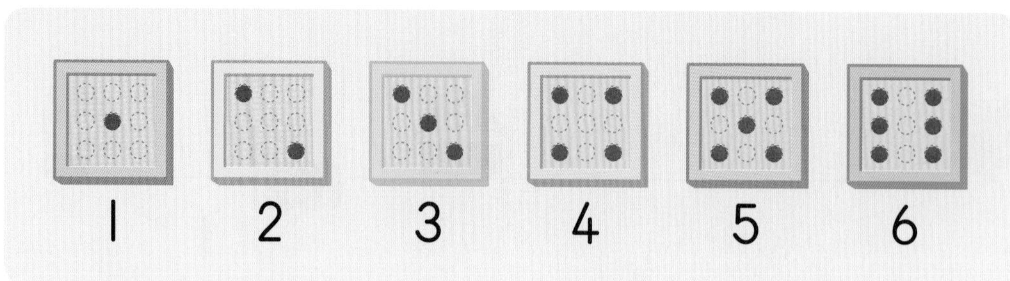

눈의 합 : 2

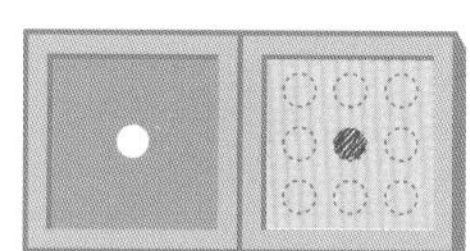

눈의 합 : 4

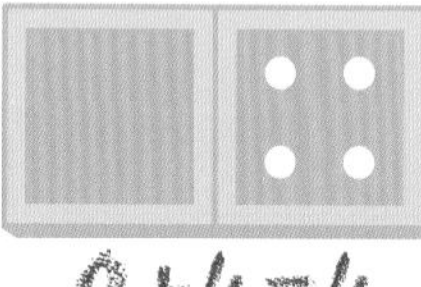

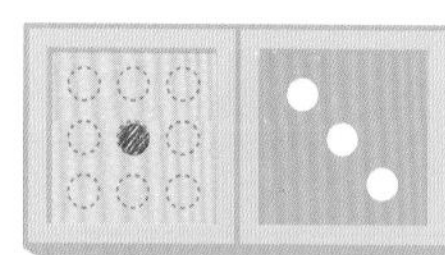

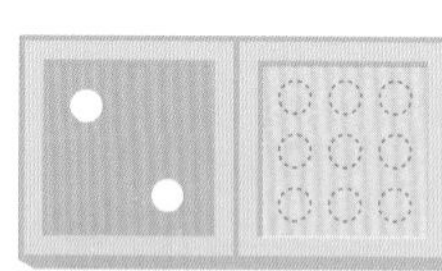

눈의 합 : 5

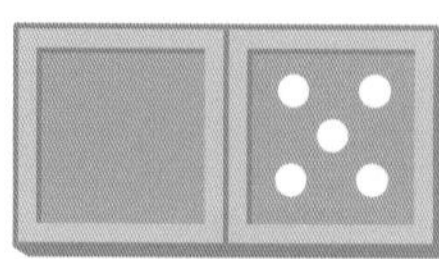
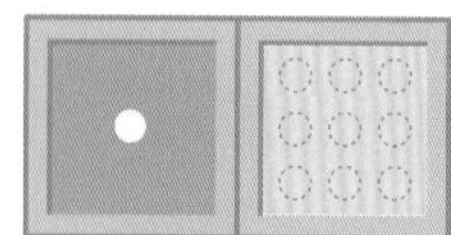
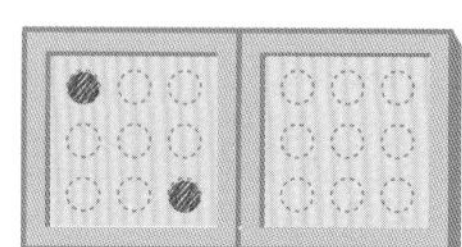

눈의 합 : 7

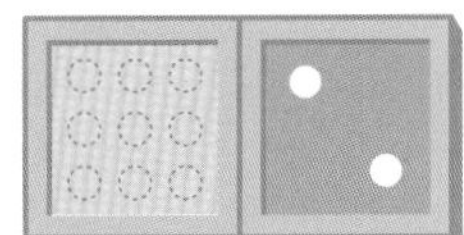
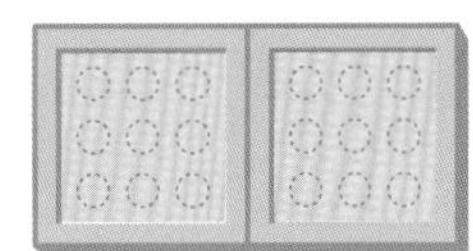

눈의 차 : 2

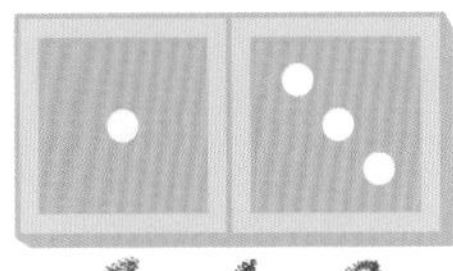
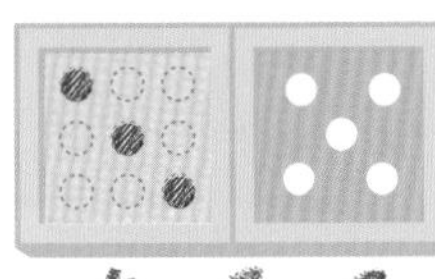
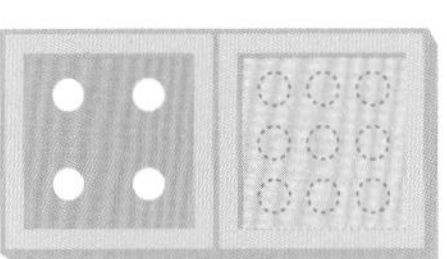

3－1＝2　　5－3＝2　　4－□＝2

눈의 차 : 3

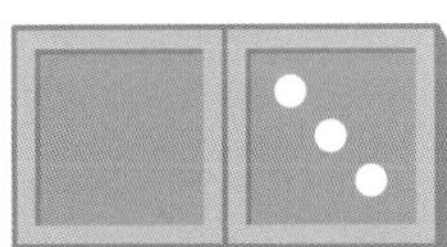
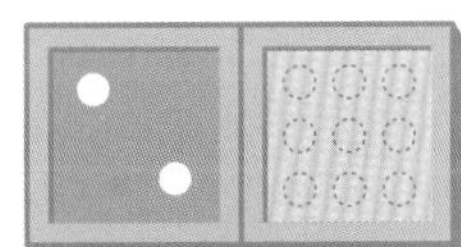
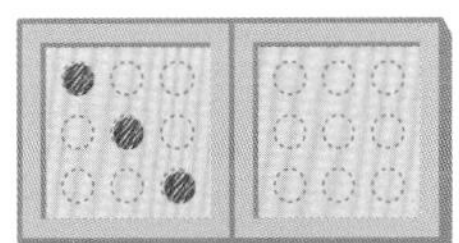

눈의 차 : 4

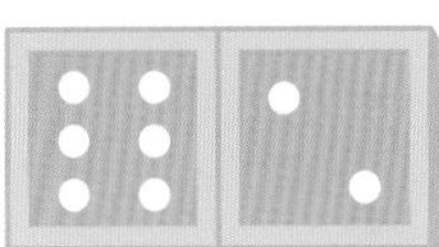
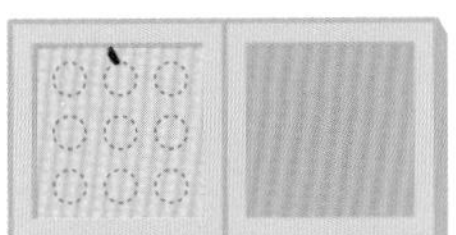
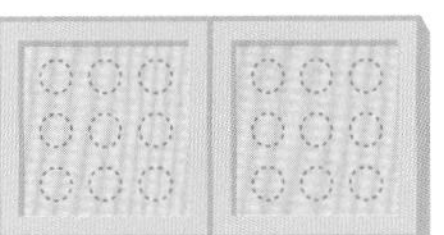

3
P04

도미노 안에 알맞게 눈을 그려 넣고, 합과 차를 써 보시오.

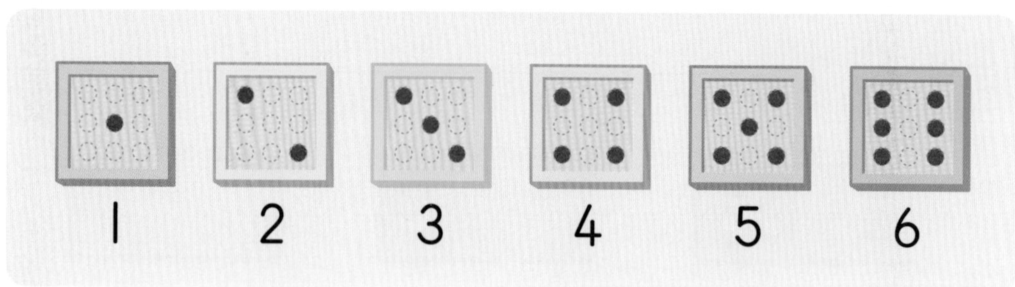

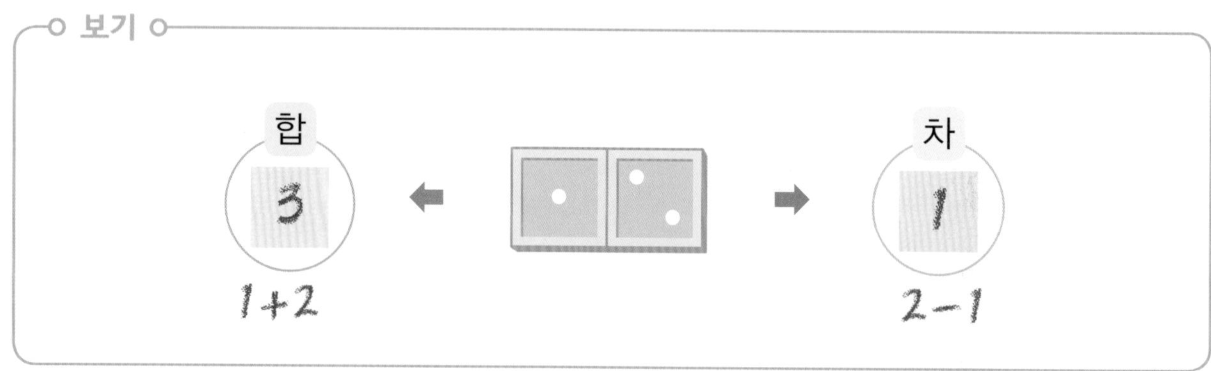

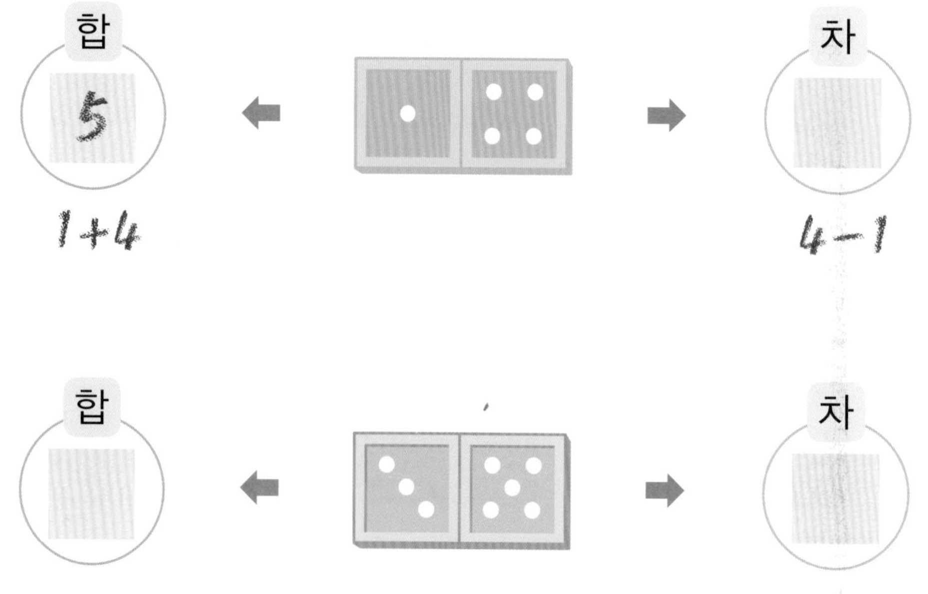

합

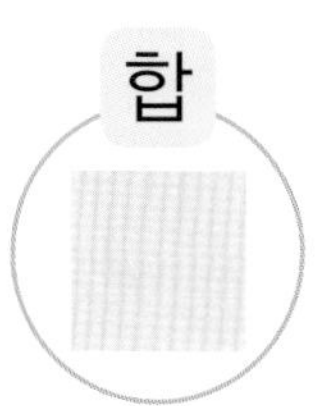

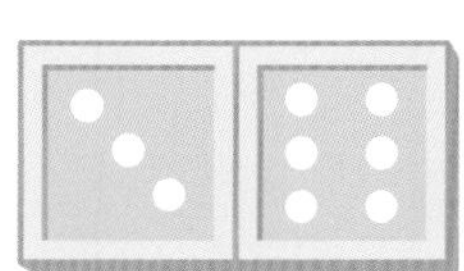

차

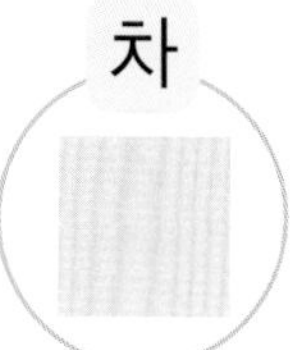

합

7

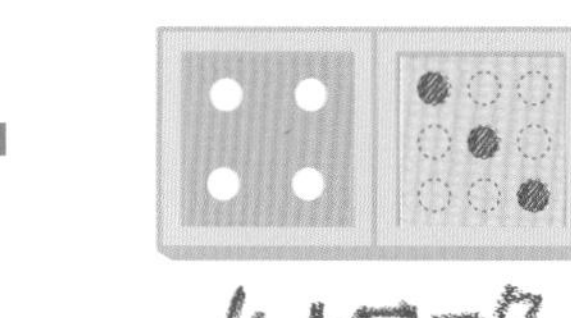

4+□=7

차

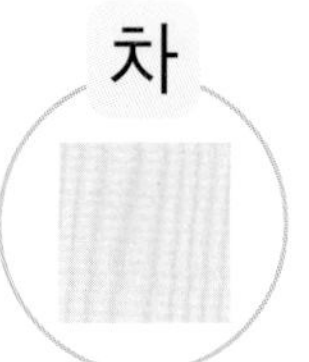

4−3

합

5

차

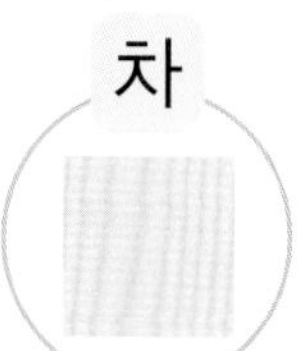

합

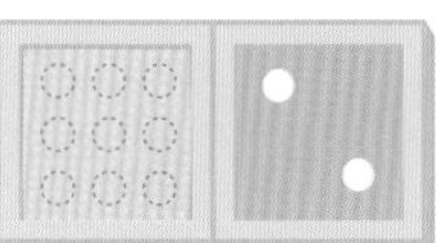

차

3

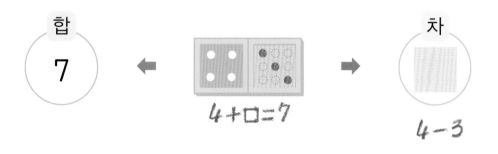

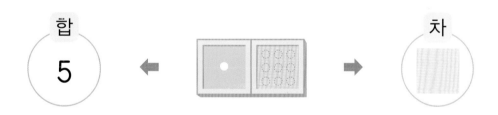

5 일차 목표수 만들기

숫자 카드를 모두 사용하여 주어진 수를 만들어 보시오.

숫자 카드: 1, 2, 3, 8

1 + 3 = 4

8 − □ = 6

숫자 카드: 2, 4, 1, 9

1 + □ = 3

9 − □ = 5

숫자 카드: 4, 6, 9, 1, 7, 3

□ − □ = 5

□ + □ = 8

□ + □ = 9

숫자 카드: 7, 5, 3, 4, 8, 2

□ − □ = 4

□ − □ = 6

□ + □ = 9

숫자 카드를 알맞게 사용하여 주어진 수를 만들어 보시오.

1 2 5 7

□ − □ = 1 (2 − 1 = 1)

□ − □ = 2

□ + □ = 3

□ − □ = 4

□ − □ = 5

□ − □ = 6

□ + □ = 7

□ + □ = 8

□ + □ = 9

숫자 카드를 모두 사용하여 주어진 수를 만들어 보시오.

보기

3 1 4 ➡ 4 + 3 − 1 = 6

7 5 2 ➡ 7 − □ + □ = 4

1 8 2 ➡ □ + □ − □ = 7

5 8 6 ➡ □ − □ + □ = 9

주어진 계산기의 버튼을 알맞은 순서로 눌러 계산 결과가 나오도록 하시오.

보기

누르는 순서

5−1+3=

누르는 순서

누르는 순서

누르는 순서

P04 작은 수의 덧셈과 뺄셈

일 자			소요 시간	틀린 문항 수	확인
❶ 일차	월	일	:		
❷ 일차	월	일	:		
❸ 일차	월	일	:		
❹ 일차	월	일	:		
❺ 일차	월	일	:		

4 주

성냥개비 셈

안에서 성냥개비 1개를 빼야 할 곳을 찾아 ✕표 하고, 올바른 식을 쓰시오.

온라인 활동지

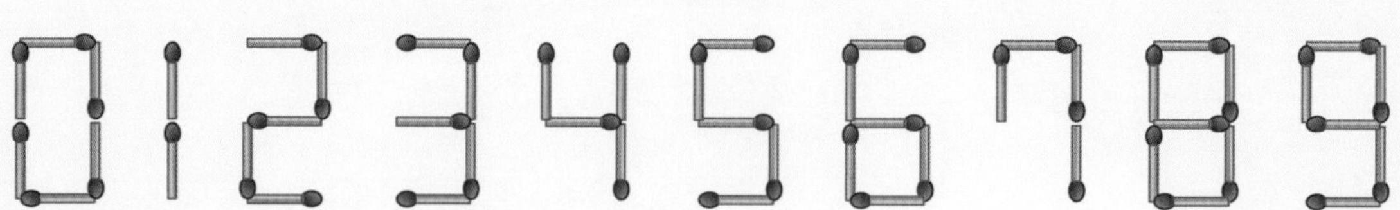

보기

9 − 1 = 2 → 9 − 1 = 2

식 ➡ 3 − 1 = 2

2 + 3 = 6

식 ➡

7 − 4 = 9

식 ➡

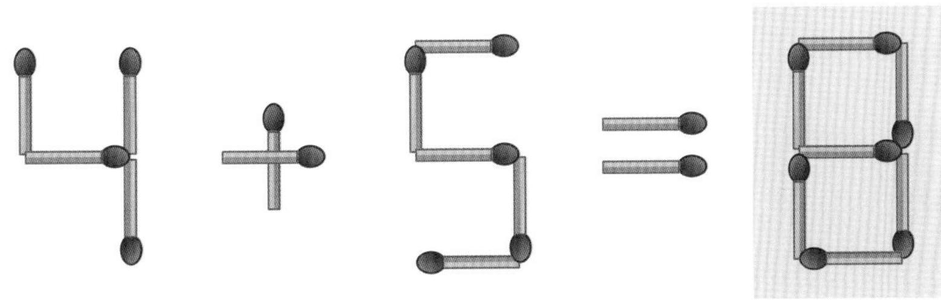

식 ➡ ____________________

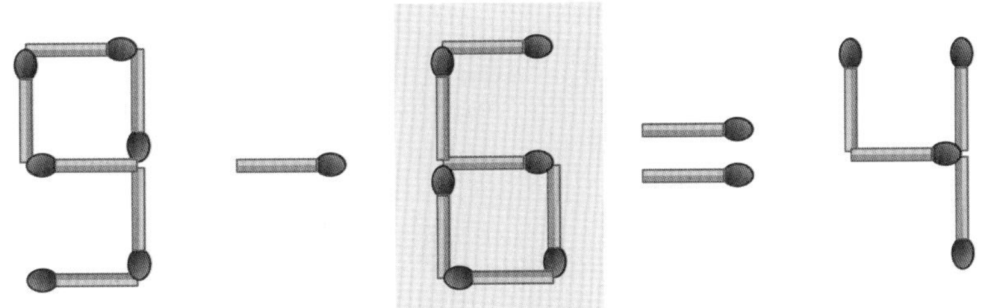

식 ➡ ____________________

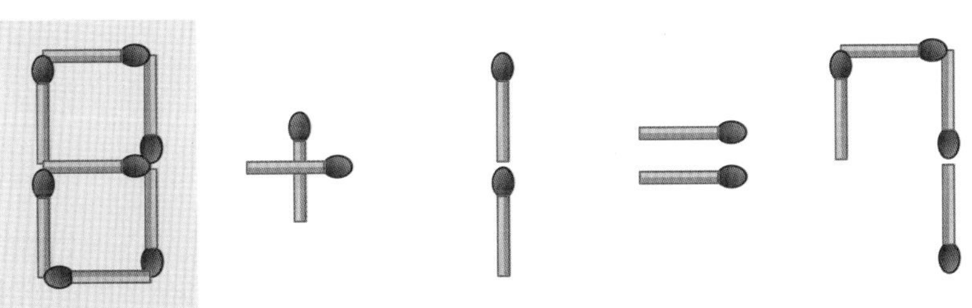

식 ➡ ____________________

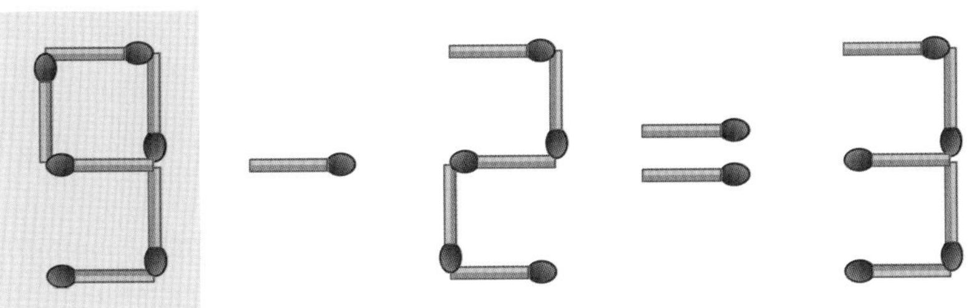

식 ➡ ____________________

▢ 안에서 성냥개비 1**개를 옮겨야** 할 곳을 표시하고, 올바른 식을 쓰시오.

온라인 활동지

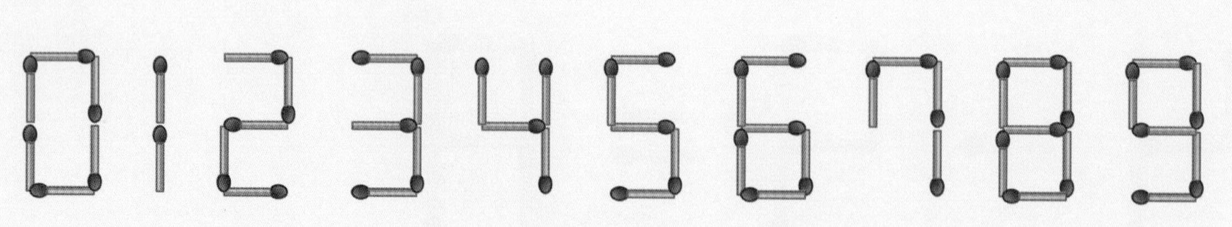

보기

2 + 4 = 7 ➡ 2 + 4 = 7

식 ➡ 3 + 4 = 7

9 − 7 = 3

식 ➡ ______

1 + 6 = 4

식 ➡ ______

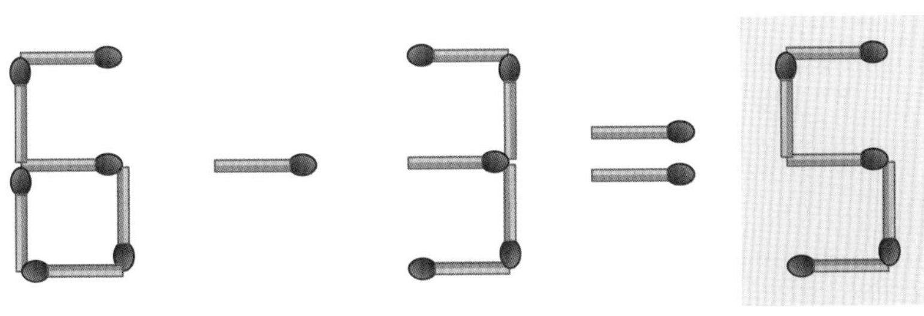

식 ➡ 

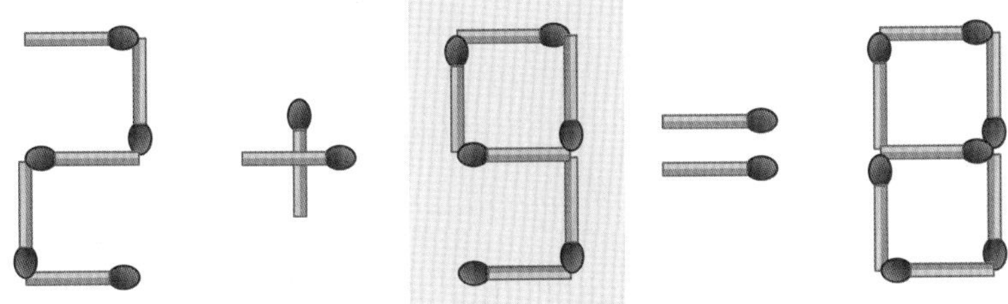

식 ➡

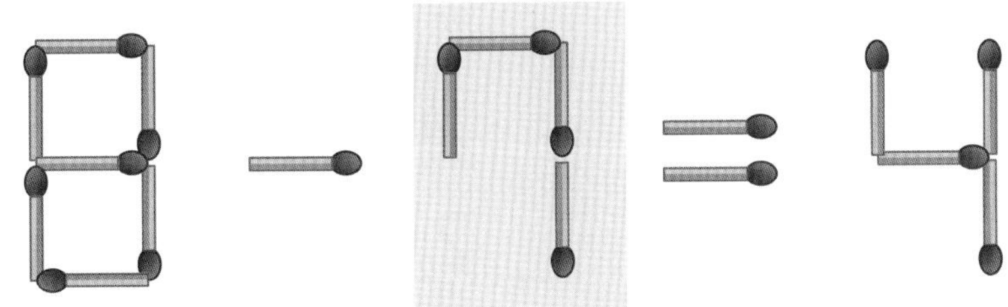

식 ➡

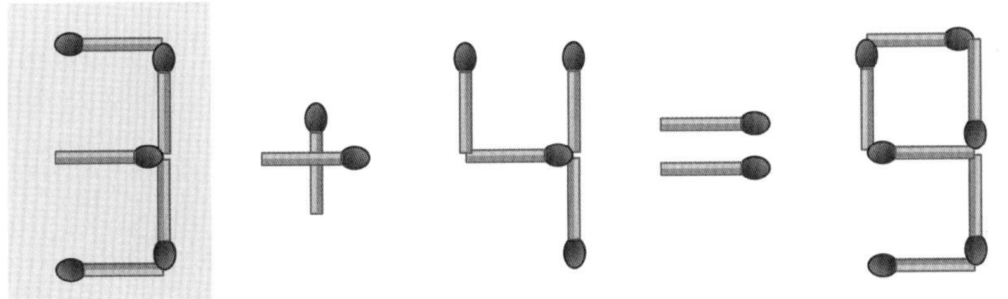

식 ➡

식 완성하기

주어진 수를 모두 사용하여 식을 완성하시오.

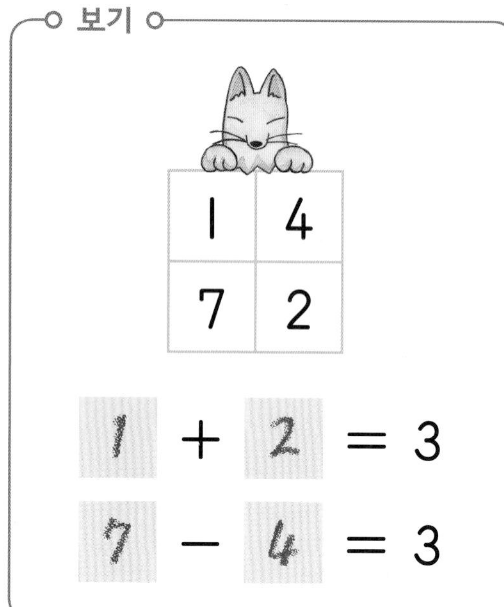

7	1
4	2

1 + □ = 5

7 − □ = 5

2 + □ = 7

□ − 1 = 7

2	9
6	1

□ + □ = 8

□ − □ = 8

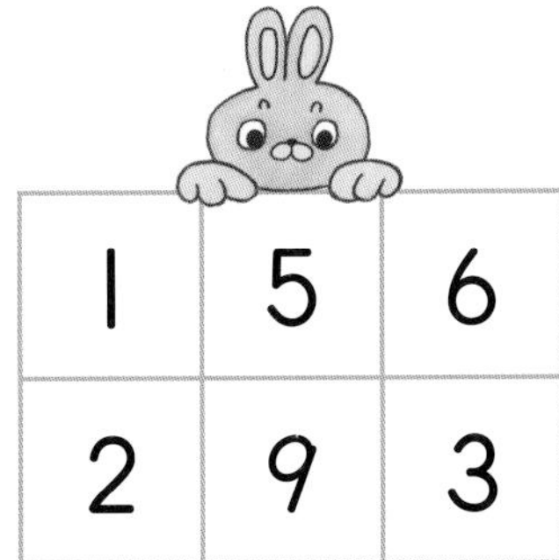

1	5	6
2	9	3

1 + 3 = 4

9 − ☐ = 4

6 − ☐ = 4

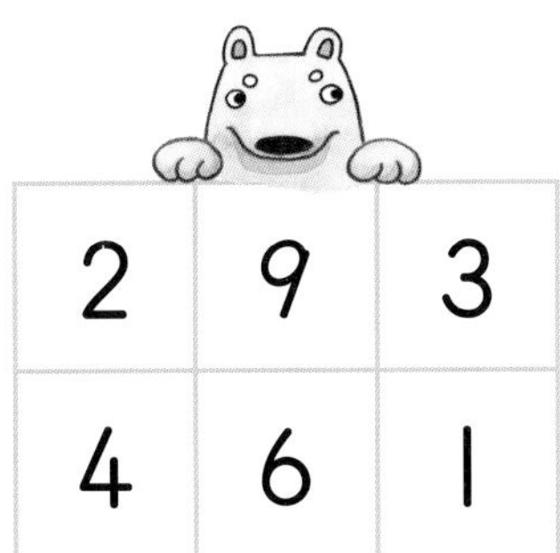

2	9	3
4	6	1

☐ + ☐ = 5

☐ − ☐ = 5

☐ − ☐ = 5

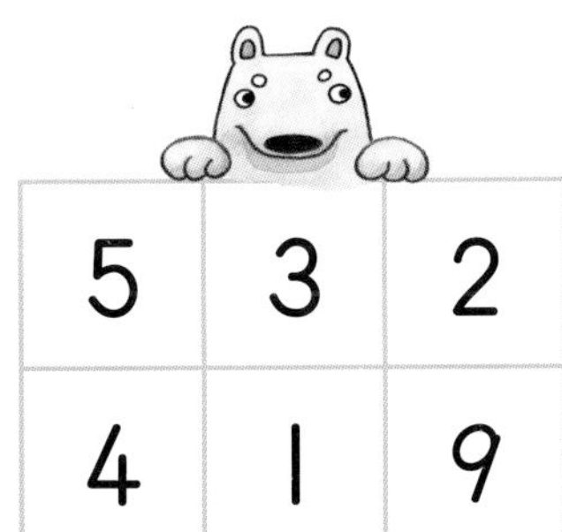

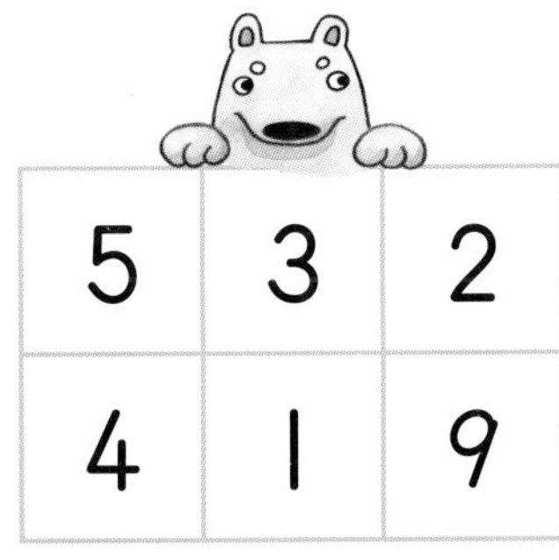

5	3	2
4	1	9

☐ + ☐ = 6

☐ + ☐ = 6

☐ − ☐ = 6

주어진 숫자 카드를 모두 사용하여 올바른 식을 만들어 보시오.

온라인 활동지

보기

8, 1, 2, 5 → 1 + 2 = 8 − 5

1+2=3 8−5=3

1, 7, 4, 2 → 2 + □ = 7 − □

3, 6, 1, 4 → □ + □ = □ + □

7, 6, 3, 2 → □ + □ = □ + □

1	5
2	8

➡ □ − □ = □ + □

1	6
2	9

➡ □ − □ = □ + □

8	5
1	4

➡ □ − □ = □ − □

8	9
1	0

➡ □ − □ = □ − □

3 일차 도미노 가르기와 모으기

올바른 가르기와 모으기가 되도록 도미노의 눈을 그려 넣으시오.

온라인 활동지

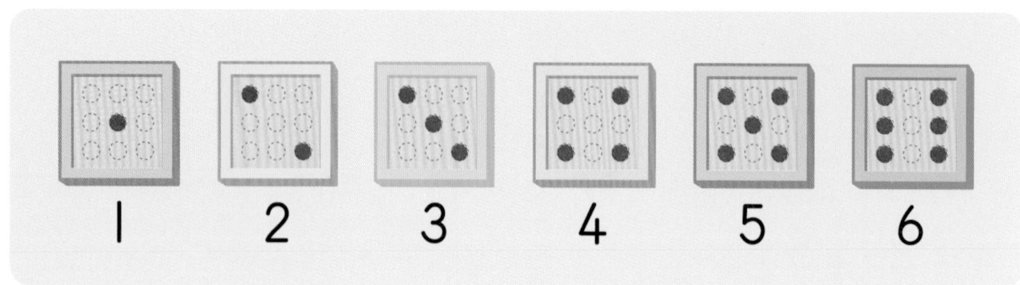

보기

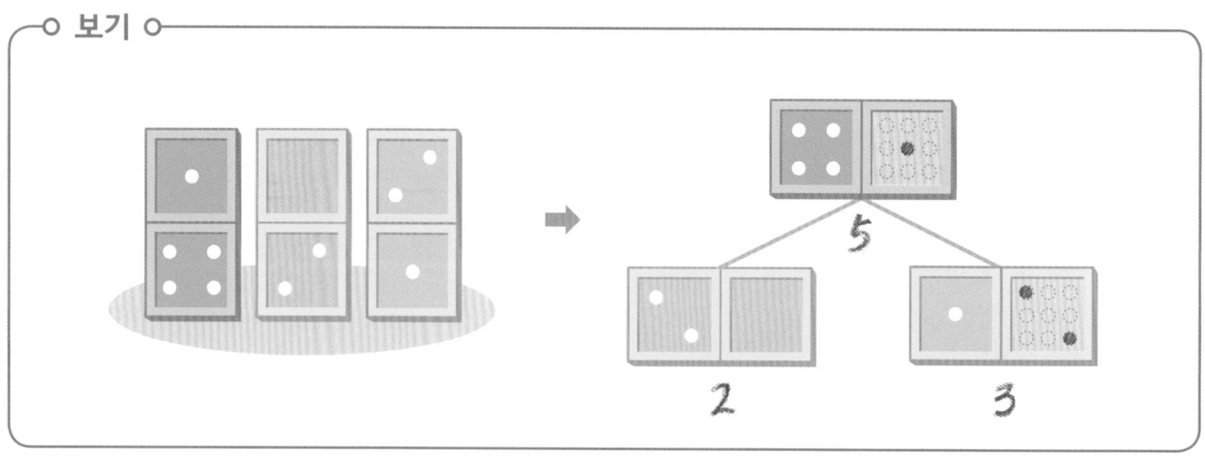

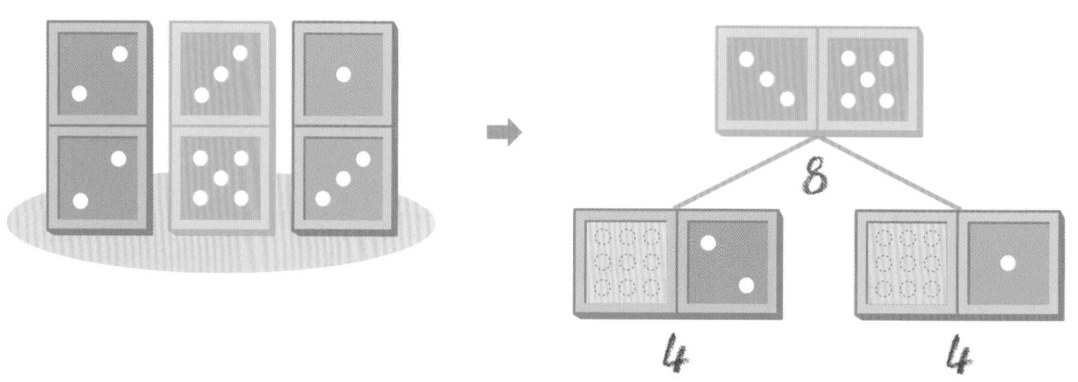

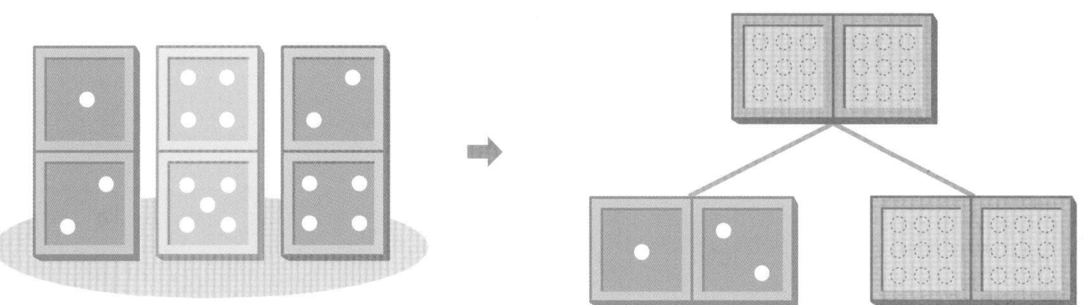

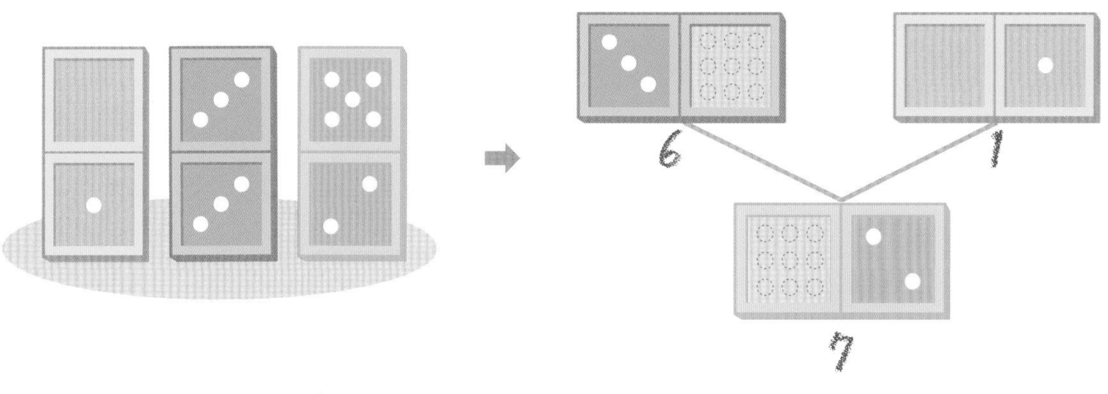
6
1
7

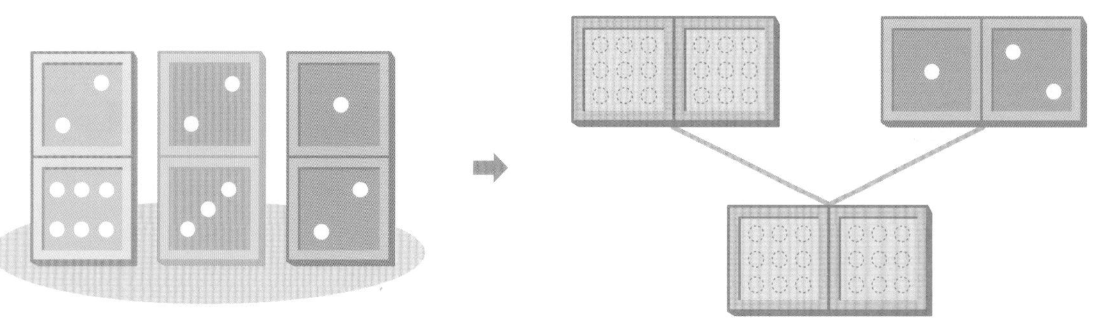

올바른 가르기와 모으기가 되도록 도미노의 눈을 그려 넣으시오.

온라인 활동지

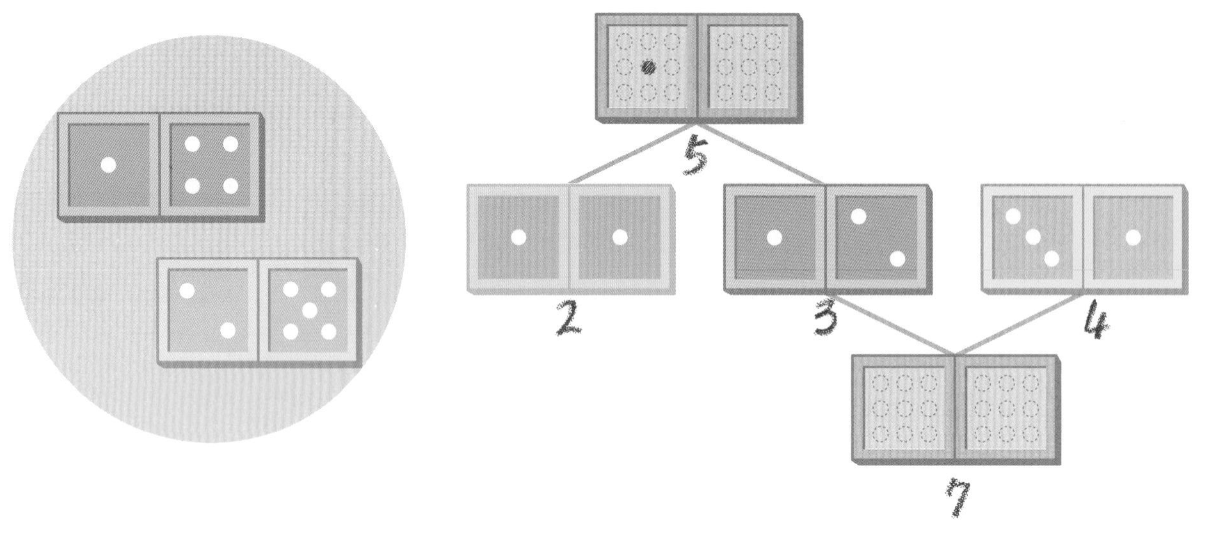

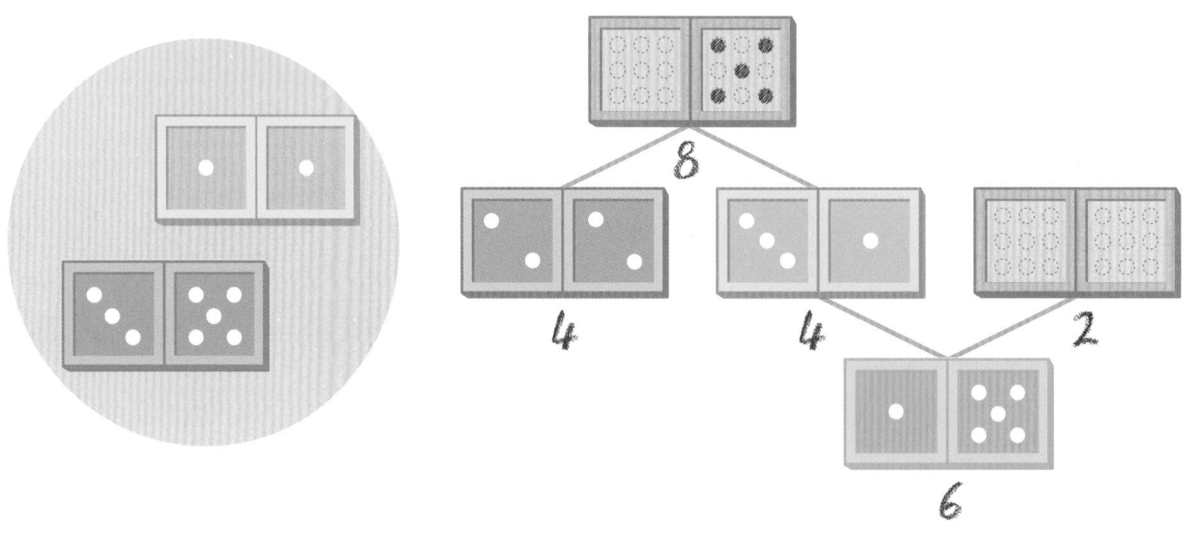

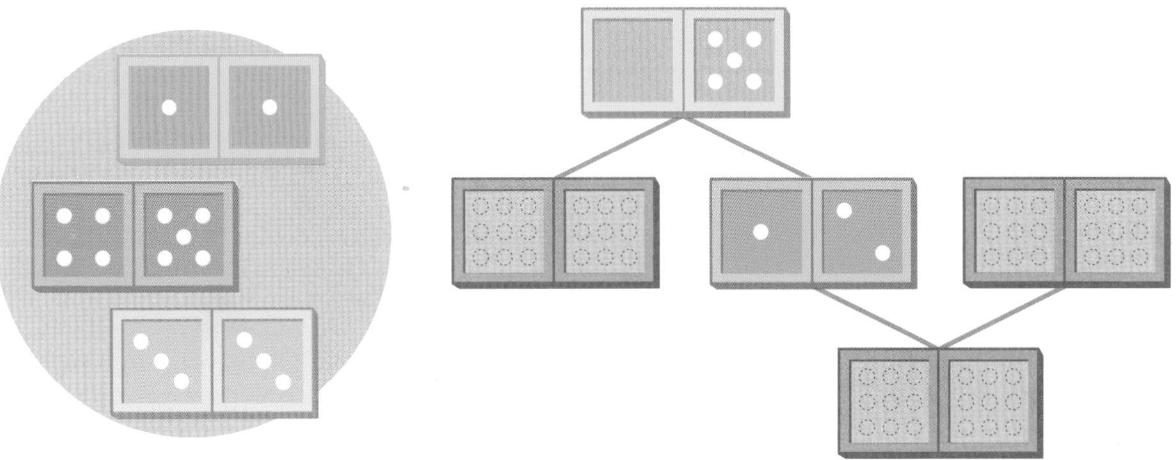

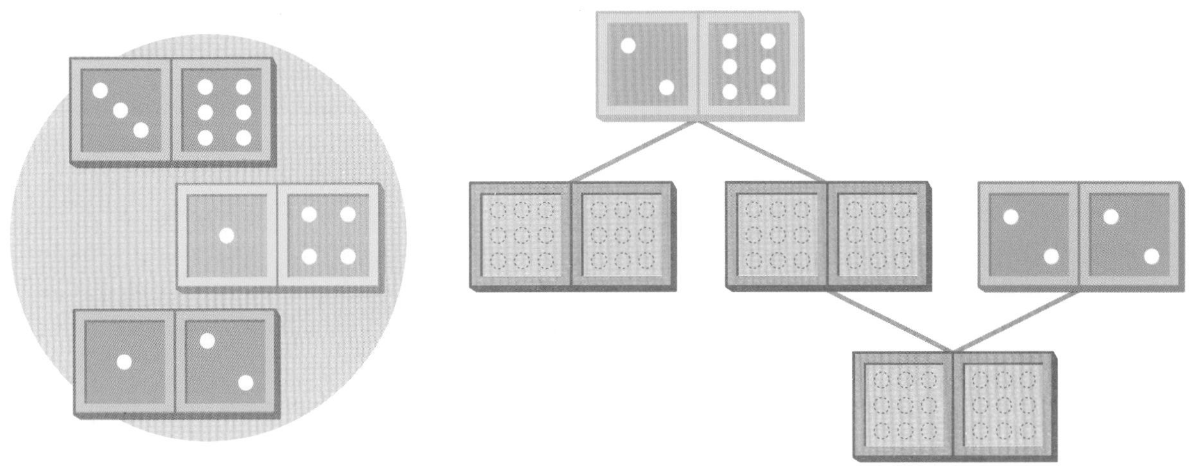

오늘은 얼마나 잘했을까요?
칭찬 붙임 딱지를
붙여 주세요!

양팔 저울이 수평을 이루도록 ◯ 안에 + 또는 − 기호를 알맞게 쓰고 식을 써 보시오.

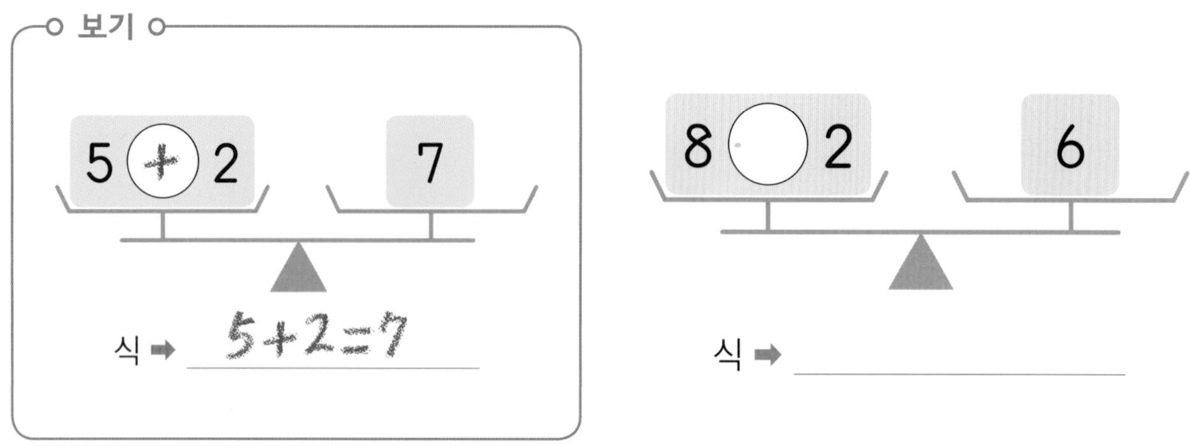

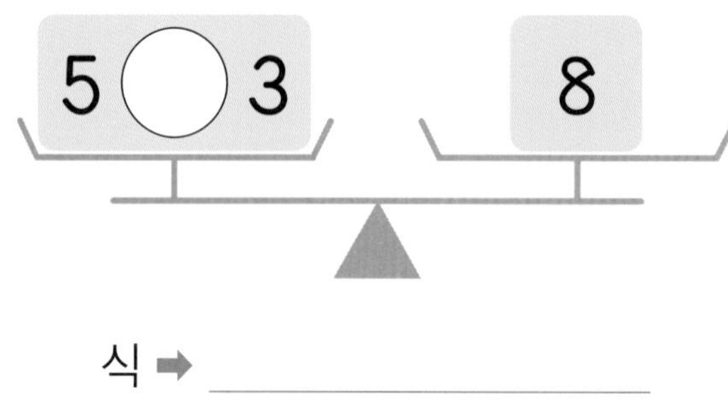

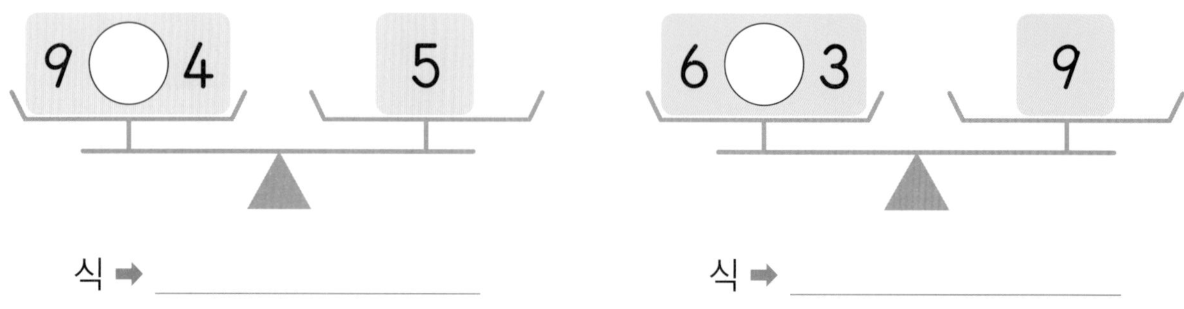

양팔 저울이 수평을 이루도록 ◯ 안에 + 또는 − 기호를 알맞게 쓰고 식을 써 보시오.

보기

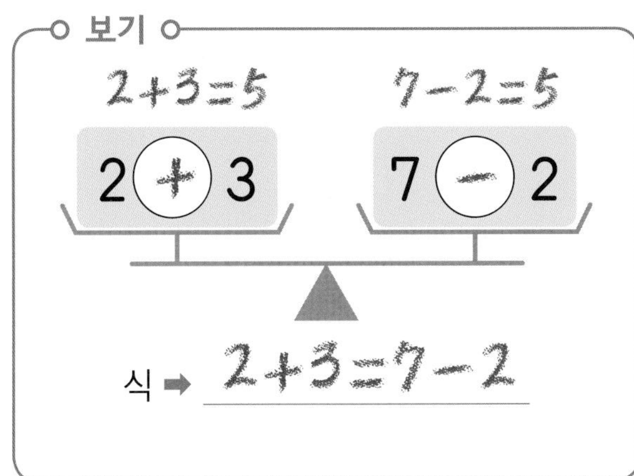

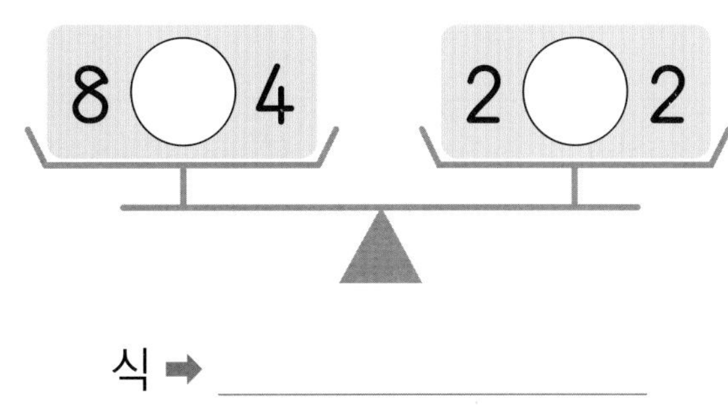

식 ➡

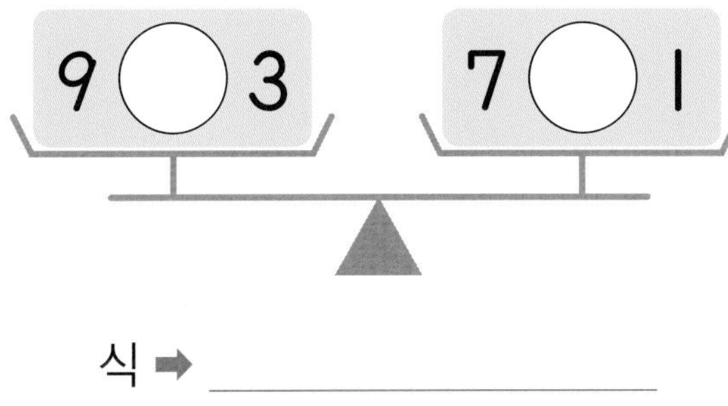

식 ➡

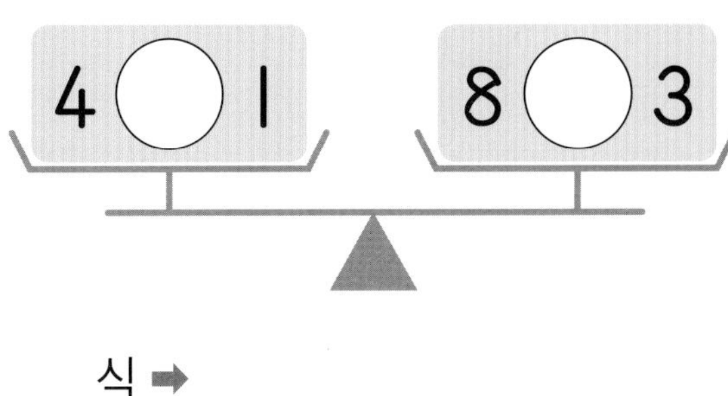

식 ➡

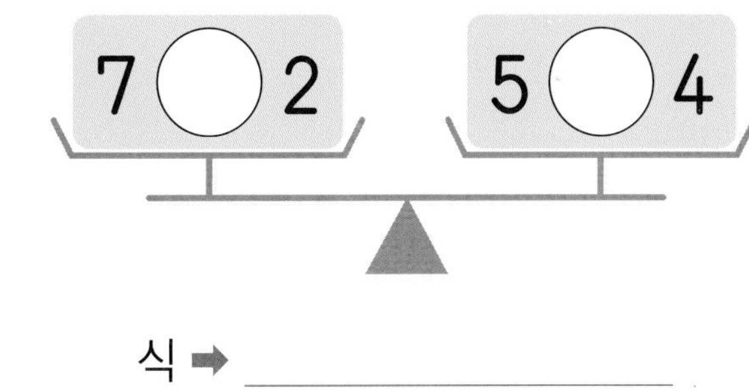

식 ➡

올바른 식이 되도록 ◯ 안에 + 또는 − 기호를 알맞게 써넣으시오.

보기

2 ◯ 3 ◯ 1 = 4

5 ◯ 3 ◯ 6 = 8

1 ◯ 4 ◯ 2 = 7

8 ◯ 4 ◯ 2 = 2

6 ◯ 1 ◯ 4 = 9

2 ◯ 5 ◯ 1 = 6

9 ◯ 2 ◯ 3 = 4

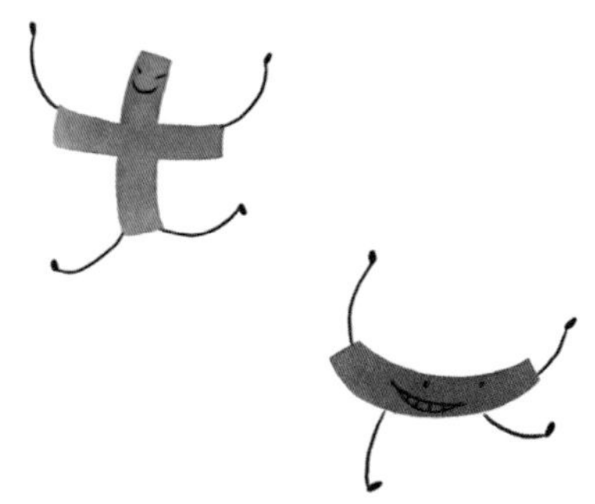

올바른 식이 되도록 ○ 안에 +, −, = 기호를 알맞게 써넣으시오.

보기

2 (+) 3 (=) 7 (−) 2

9 ○ 5 ○ 3 (=) 7

2 ○ 3 (=) 1 ○ 4

8 (=) 2 ○ 1 ○ 5

2 ○ 4 ○ 7 ○ 1

3 ○ 4 ○ 9 ○ 2

7 ○ 4 ○ 2 ○ 5

블록으로 수 만들기

다음 블록을 주어진 개수만큼 사용하여 합이 각각 6, 8, 9가 되도록 모양을 만들고 식을 써 보시오.

준비물 ▶ 패턴블록

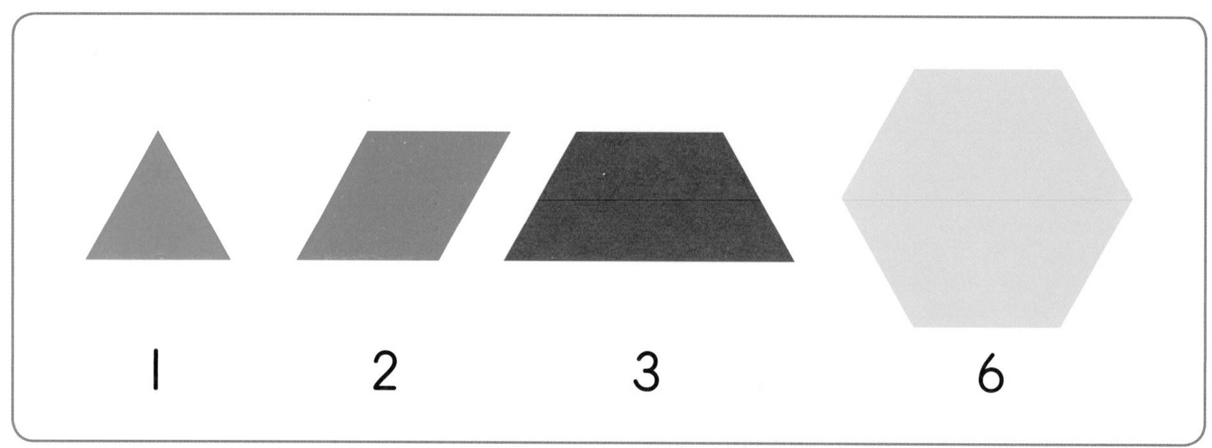

2조각

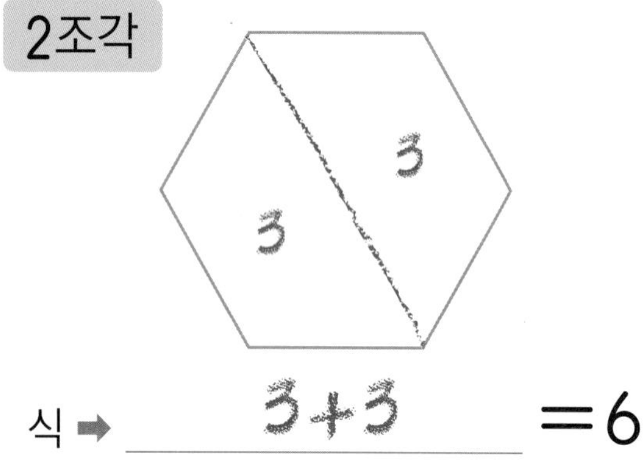

식 ➡ 3+3 =6

3조각

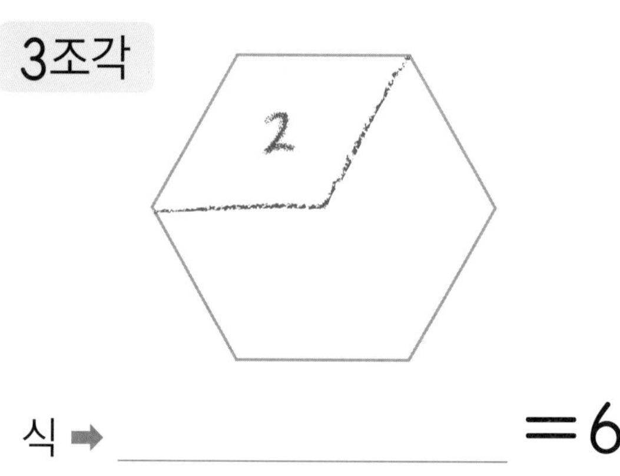

식 ➡ ____________ =6

3조각

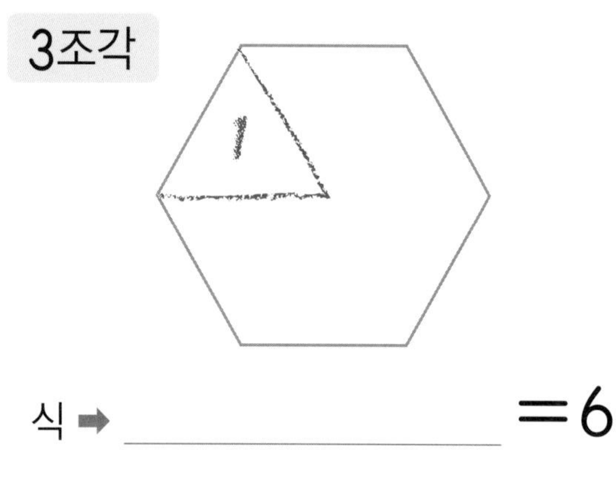

식 ➡ ____________ =6

4조각

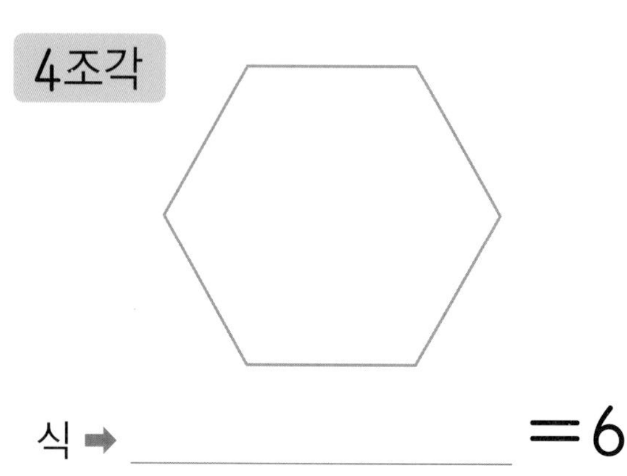

식 ➡ ____________ =6

3조각

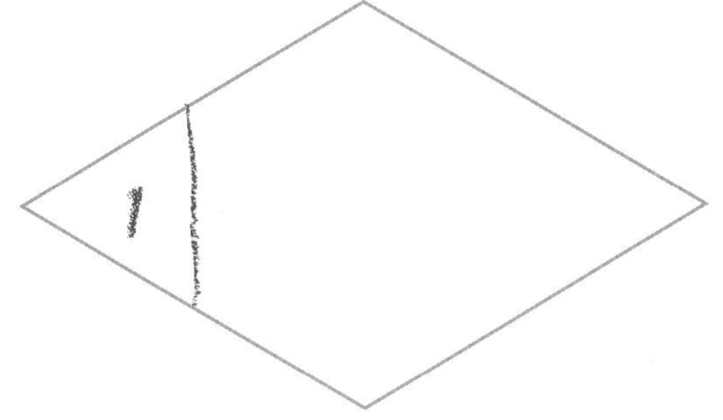

식 ➡ ______________ =8

4조각

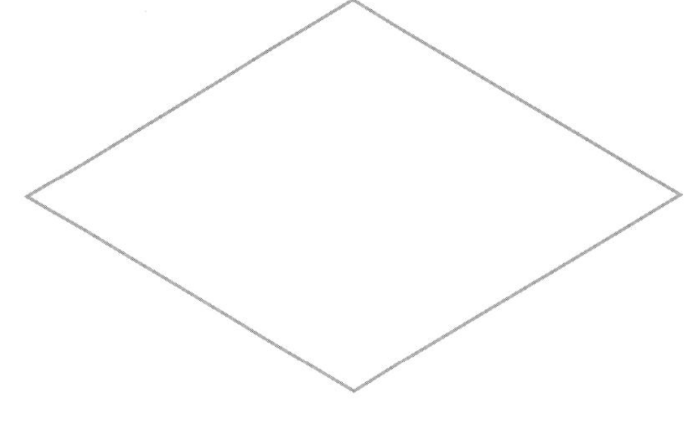

식 ➡ ______________ =8

3조각

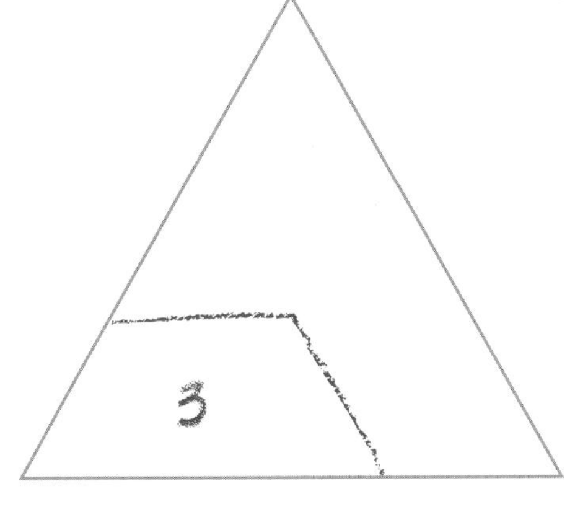

식 ➡ ______________ =9

4조각

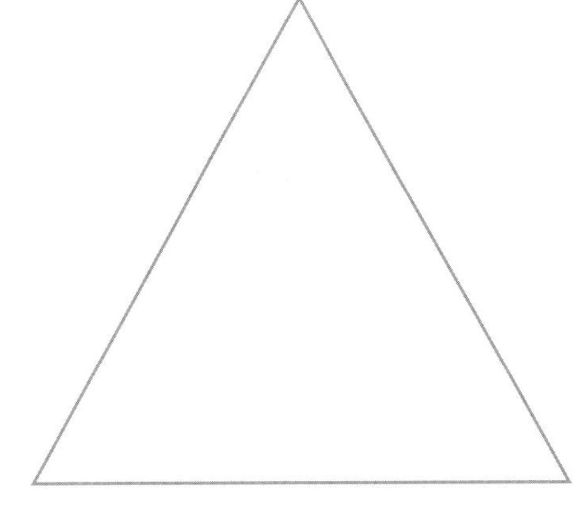

식 ➡ ______________ =9

블록을 주어진 개수만큼 사용하여 모양을 만들고 식을 써 보시오.

준비물 ▶ 패턴블록

3조각

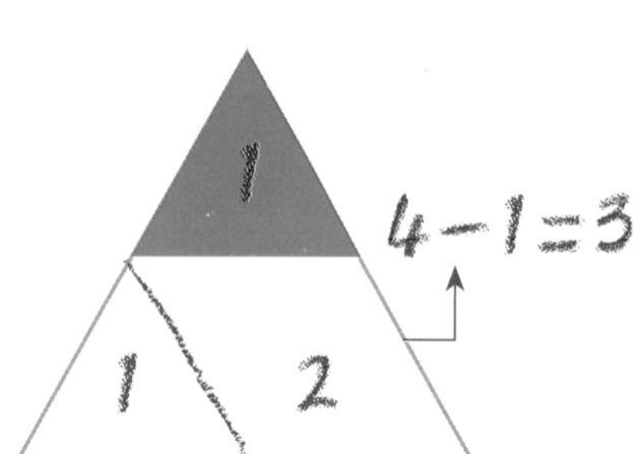

식 ➡ ________________ =4

3조각

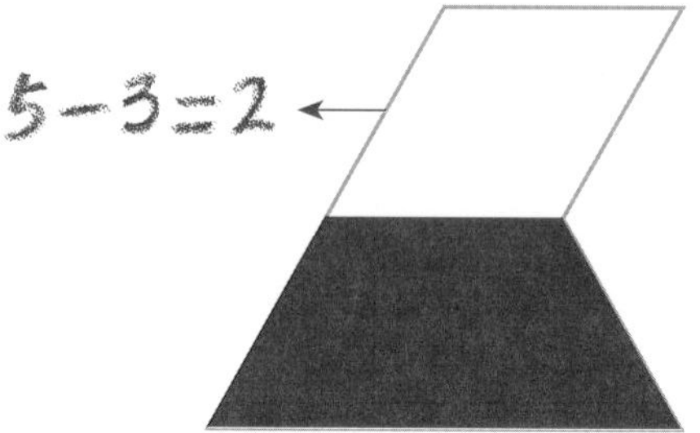

식 ➡ ________________ =5

3조각

식 ➡ ________________ =6

3조각

식 ➡ ________________ =8

4조각

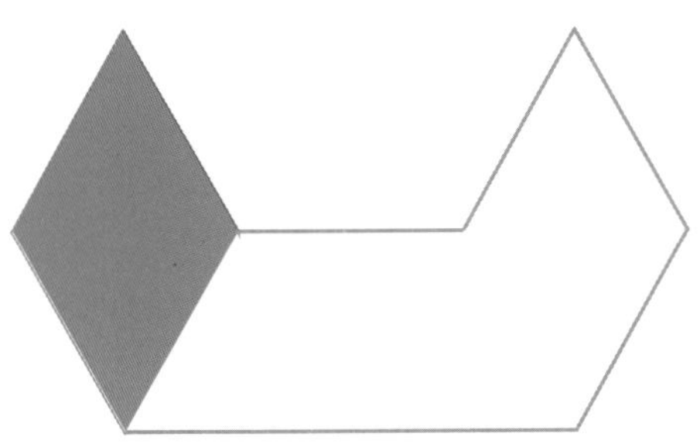

식 ➡ ______________ =7

4조각

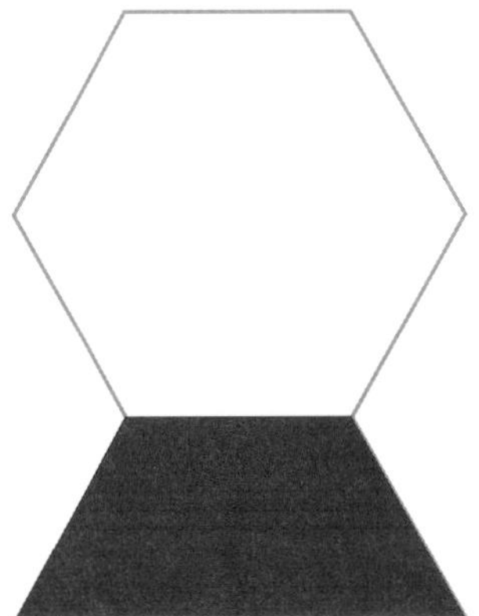

식 ➡ ______________ =9

4조각

식 ➡ ______________ =9

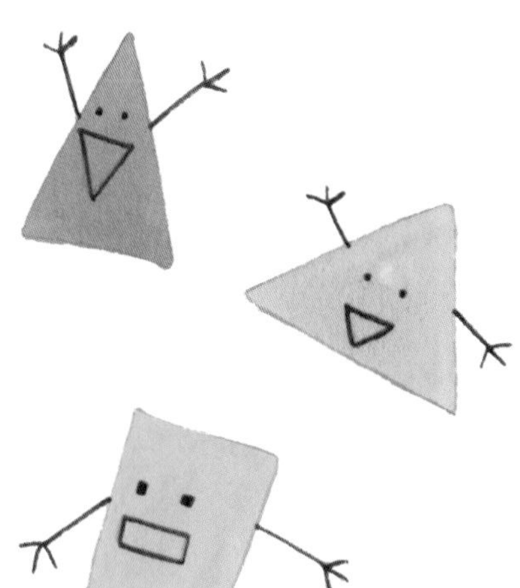

오늘은 얼마나 잘했을까요?
칭찬 붙임 딱지를 붙여 주세요!

memo

P04
정답

다람쥐 가족들이 열심히 도토리를 모으며 겨울 준비를 하고 있네요. 가운데 있는 다람쥐는 무엇이 그렇게 급한지 도토리를 2개나 들고 있어요. 그런데 다람쥐들은 땅속에 파묻은 도토리가 어디로 몇 개씩 내려갔는지 나중에 잘 찾을 수 있을까요?

P02권에서 배운 수 모으기와 P03권에서 배운 수 가르기를 종합하는 과정입니다. 수를 가르고 모으는 학습은 덧셈과 뺄셈의 기초가 되는 동시에 덧셈식과 뺄셈식의 관계를 쉽게 이해할 수 있게 해 줍니다. 더 나아가 하나의 수를 두 수로 가르는 방법은 여러 가지가 있음을 알게 해 주세요.

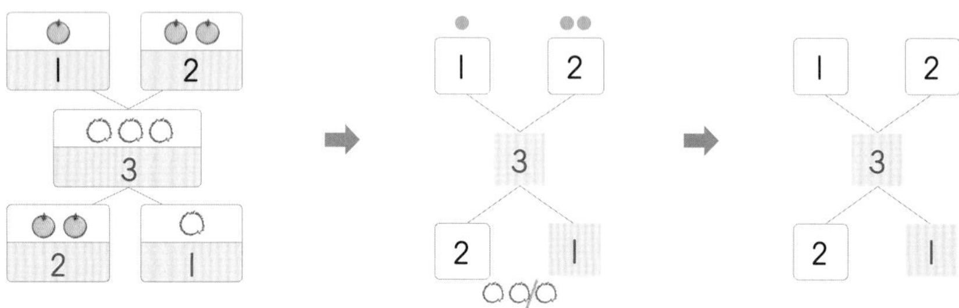

P 08 ~ 09

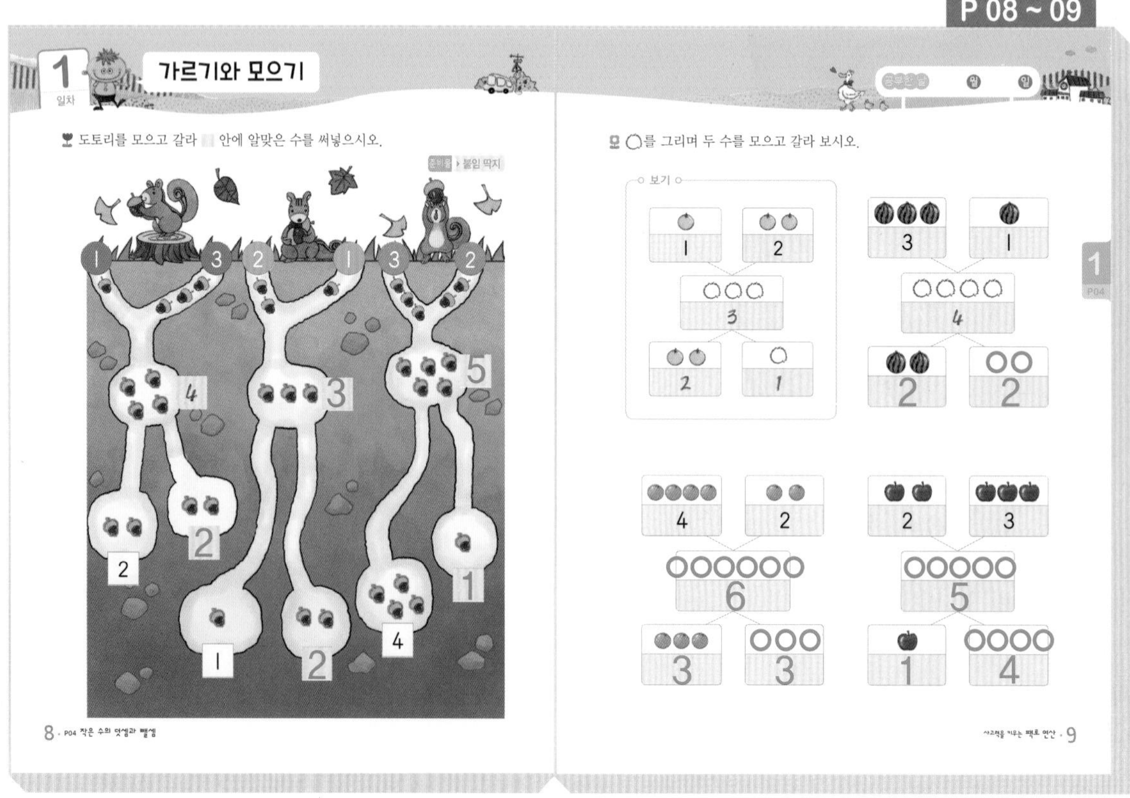

P 10 ~ 11

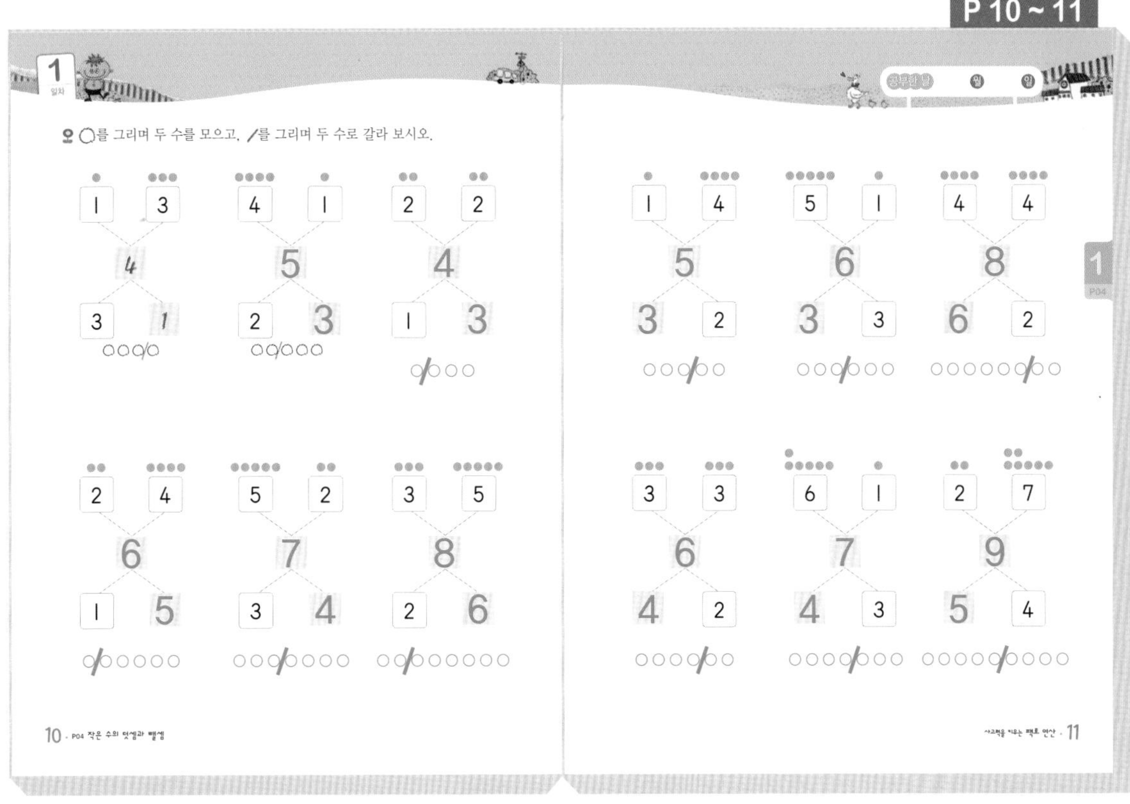

○를 그리며 두 수를 모으고, /를 그리며 두 수로 갈라 보시오.
10 · P04 작은 수의 덧셈과 뺄셈
사고력을 키우는 팩토 연산 · 11

P 12 ~ 13

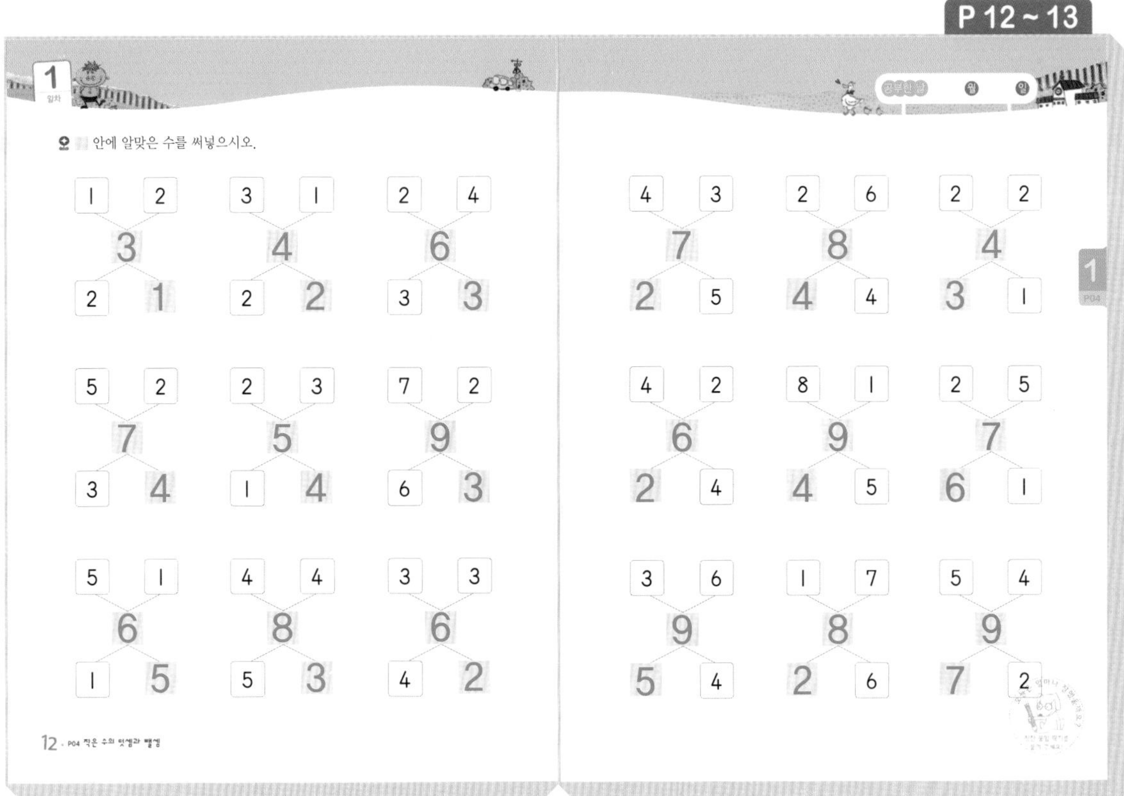

안에 알맞은 수를 써넣으시오.
12 · P04 작은 수의 덧셈과 뺄셈

두 친구가 주사위 굴리기 놀이를 하고 있어요. 여자아이는 자기 차례에 큰 수가 나왔는지 박수를 치며 좋아하고, 반대로 남자아이는 표정이 울그락 불그락이네요. 그런데 다음 번 남자아이 차례에 여자아이보다 더 큰 수가 나왔나봐요. 남자아이가 박수를 치며 좋아하네요. 두 친구가 굴려 나온 주사위는 각각 얼마일까요?

더하는 두 수의 순서를 바꾸어도 합이 같음을 이용하여 특정한 덧셈을 학습하는 과정입니다. 보통 처음 아이들이 덧셈을 할 때에는 손가락을 하나씩 세어 가며 합니다. 이때 1+7, 2+8과 같이 (작은 수)+(큰 수)를 어려워하는 아이들에게 7+1, 8+2와 같이 (큰 수)+(작은 수)로 바꾸어 계산하면 더 쉽다는 것을 느끼게 해 주세요.

3 + 1 = 4
1 + 3 = 4

➡

3 + 1 = 4
1 + 3 = 4

➡

1 + 3 = 4

P 14 ~ 15

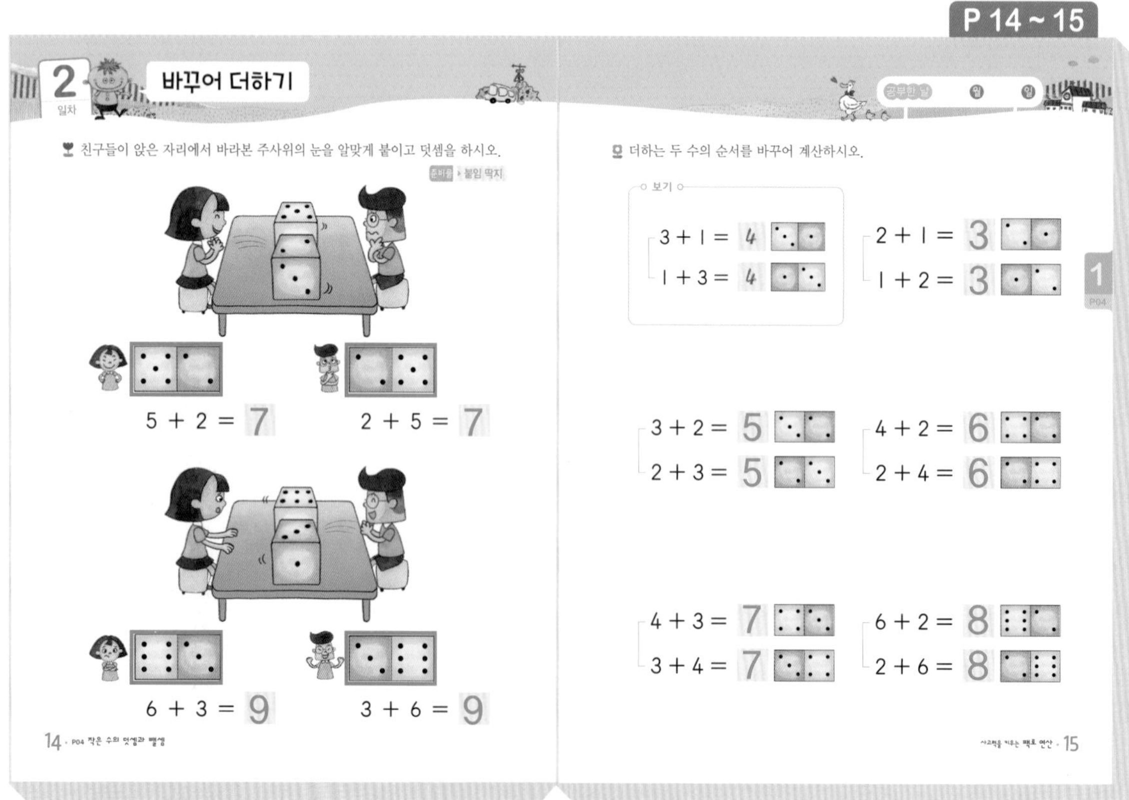
2 일차 바꾸어 더하기

친구들이 앉은 자리에서 바라본 주사위의 눈을 알맞게 붙이고 덧셈을 하시오.

준비물 ▸ 붙임 딱지

5 + 2 = 7　　2 + 5 = 7

6 + 3 = 9　　3 + 6 = 9

14 · P04 작은 수의 덧셈과 뺄셈

공부한 날 월 일

더하는 두 수의 순서를 바꾸어 계산하시오.

보기
3 + 1 = 4
1 + 3 = 4

2 + 1 = 3
1 + 2 = 3

3 + 2 = 5
2 + 3 = 5

4 + 2 = 6
2 + 4 = 6

4 + 3 = 7
3 + 4 = 7

6 + 2 = 8
2 + 6 = 8

사고력을 키우는 팩토 연산 · 15

P 16 ~ 17

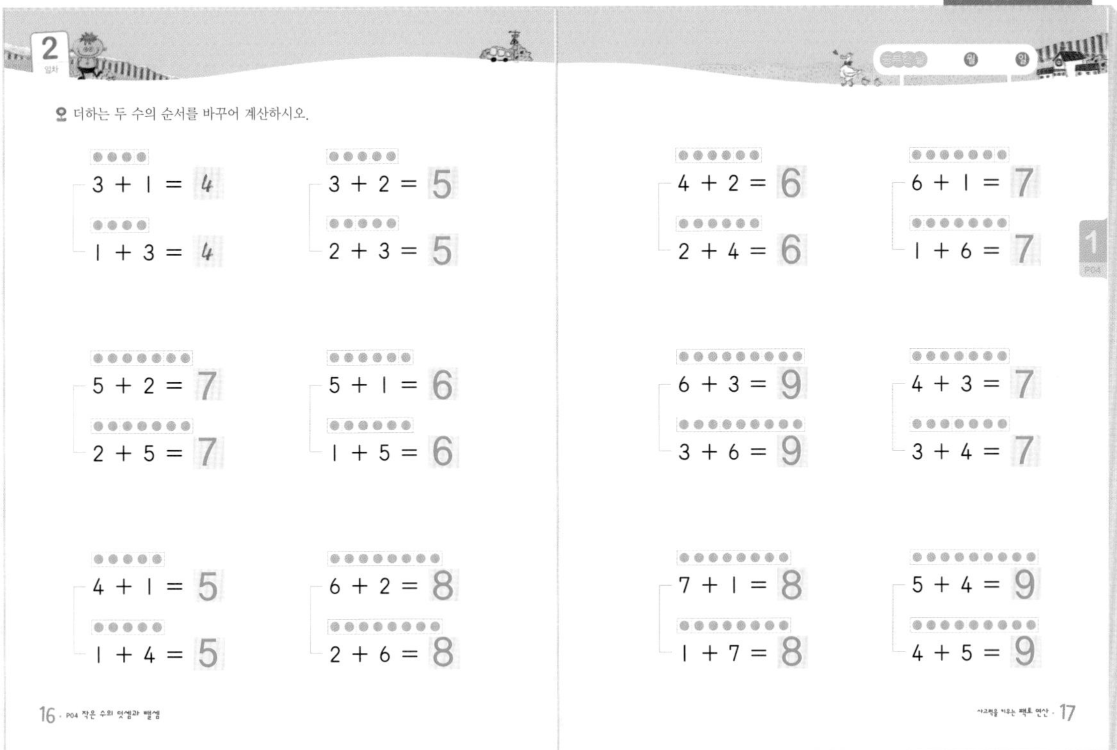

2 일차

더하는 두 수의 순서를 바꾸어 계산하시오.

3 + 1 = 4
1 + 3 = 4

3 + 2 = 5
2 + 3 = 5

5 + 2 = 7
2 + 5 = 7

5 + 1 = 6
1 + 5 = 6

4 + 1 = 5
1 + 4 = 5

6 + 2 = 8
2 + 6 = 8

4 + 2 = 6
2 + 4 = 6

6 + 1 = 7
1 + 6 = 7

6 + 3 = 9
3 + 6 = 9

4 + 3 = 7
3 + 4 = 7

7 + 1 = 8
1 + 7 = 8

5 + 4 = 9
4 + 5 = 9

16 · P04 작은 수의 덧셈과 뺄셈

사고력을 키우는 팩토 연산 · 17

P 18 ~ 19

2 일차

덧셈을 하시오.

1 + 2 = 3	2 + 4 = 6	3 + 5 = 8	1 + 7 = 8
2 + 3 = 5	4 + 5 = 9	1 + 3 = 4	2 + 4 = 6
3 + 4 = 7	1 + 6 = 7	2 + 5 = 7	1 + 6 = 7
1 + 4 = 5	2 + 7 = 9	2 + 6 = 8	1 + 8 = 9
1 + 8 = 9	1 + 5 = 6	1 + 4 = 5	3 + 4 = 7
2 + 5 = 7	3 + 6 = 9	4 + 5 = 9	2 + 7 = 9

18 · P04 작은 수의 덧셈과 뺄셈

꼬마 마술사가 마술을 보여주려고 구슬 상자와 마술봉을 들고 나왔네요. 마술봉을 휙휙 위아래로 움직이니 빨간색 구슬이 따라 움직여요. 두 번째 마술에서는 파란색 구슬 2개가 날개가 달린 듯 움직이네요. 상자 안에 또 다른 구슬을 숨겨 놓은 건 아닐까요? 상자 안의 구슬을 세어 보세요.

덧셈과 뺄셈은 서로 반대되는 상황이므로 덧셈식에 사용된 수로 뺄셈식을 만들 수 있고, 반대로 뺄셈식에 사용된 수로 덧셈식을 만들 수 있습니다. □가 있는 덧셈식(1+□=3, □+1=3)에서 □ 안의 수를 구할 때 덧셈식과 뺄셈식의 관계를 이용하여 구하는 것이 더 효율적임을 알게 해 주세요.

덧셈식	뺄셈식
2+1=3	3−1=2
1+2=3	3−2=1

➡ 3 − 1 = 2 / 2 + 1 = 3 ➡ 2 + 1 = 3

P 20 ~ 21

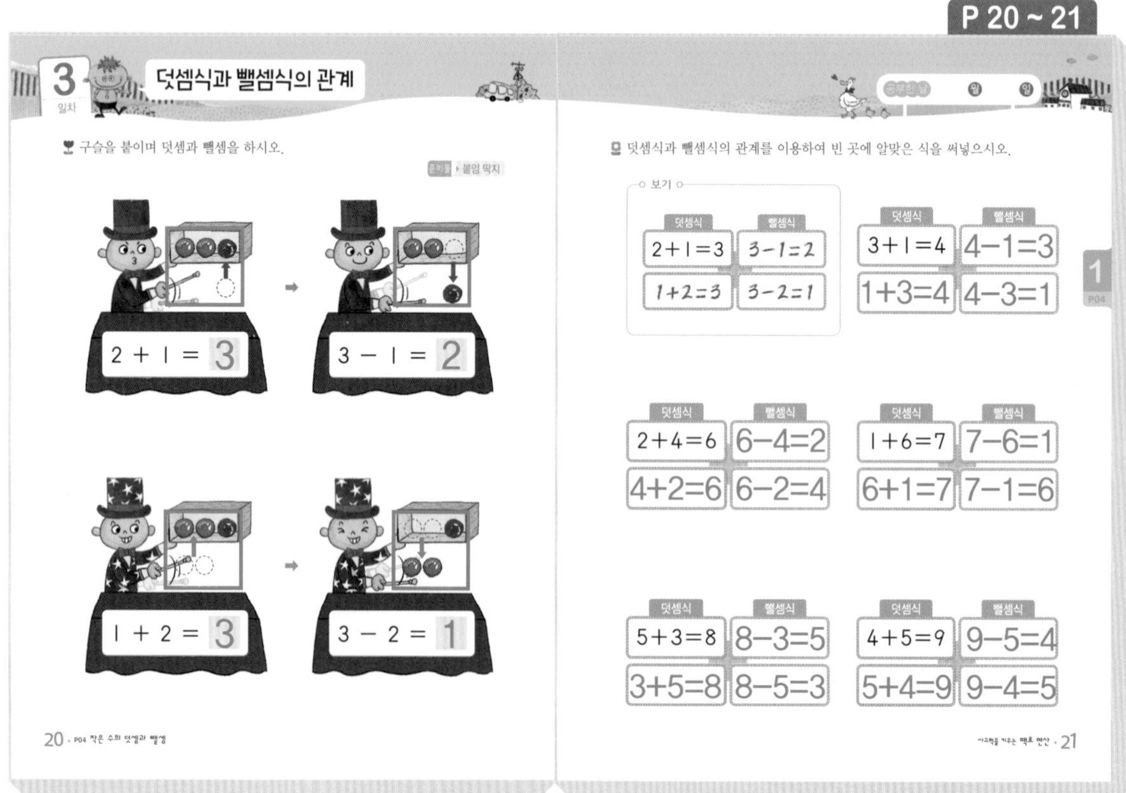

3 일차 덧셈식과 뺄셈식의 관계

구슬을 붙이며 덧셈과 뺄셈을 하시오.

준비물 붙임 딱지

2 + 1 = 3 ➡ 3 − 1 = 2

1 + 2 = 3 ➡ 3 − 2 = 1

공부한 날 월 일

덧셈식과 뺄셈식의 관계를 이용하여 빈 곳에 알맞은 식을 써넣으시오.

보기

덧셈식	뺄셈식
2+1=3	3−1=2
1+2=3	3−2=1

덧셈식	뺄셈식
3+1=4	4−1=3
1+3=4	4−3=1

덧셈식	뺄셈식
2+4=6	6−4=2
4+2=6	6−2=4

덧셈식	뺄셈식
1+6=7	7−6=1
6+1=7	7−1=6

덧셈식	뺄셈식
5+3=8	8−3=5
3+5=8	8−5=3

덧셈식	뺄셈식
4+5=9	9−5=4
5+4=9	9−4=5

1 P04

20 · P04 작은 수의 덧셈과 뺄셈

21

P 22 ~ 23

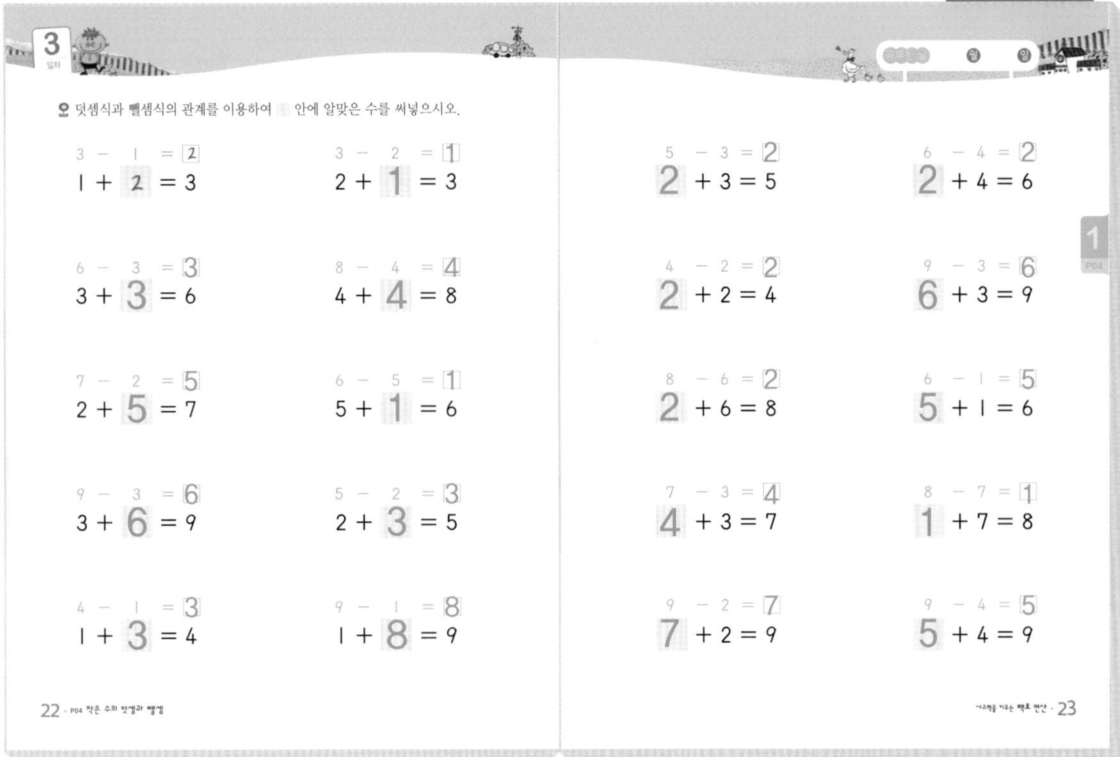
3 일차

덧셈식과 뺄셈식의 관계를 이용하여 안에 알맞은 수를 써넣으시오.

3 − 1 = 2 1 + 2 = 3	3 − 2 = 1 2 + 1 = 3	5 − 3 = 2 2 + 3 = 5	6 − 4 = 2 2 + 4 = 6
6 − 3 = 3 3 + 3 = 6	8 − 4 = 4 4 + 4 = 8	4 − 2 = 2 2 + 2 = 4	9 − 3 = 6 6 + 3 = 9
7 − 2 = 5 2 + 5 = 7	6 − 5 = 1 5 + 1 = 6	8 − 6 = 2 2 + 6 = 8	6 − 1 = 5 5 + 1 = 6
9 − 3 = 6 3 + 6 = 9	5 − 2 = 3 2 + 3 = 5	7 − 3 = 4 4 + 3 = 7	8 − 7 = 1 1 + 7 = 8
4 − 1 = 3 1 + 3 = 4	9 − 1 = 8 1 + 8 = 9	9 − 2 = 7 7 + 2 = 9	9 − 4 = 5 5 + 4 = 9

22 · P04 작은 수의 덧셈과 뺄셈

사고력을 키우는 팩토 연산 · 23

P 24 ~ 25

3 일차

안에 알맞은 수를 써넣으시오.

2 + 3 = 5	1 + 2 = 3	4 + 3 = 7	3 + 2 = 5
5 + 2 = 7	2 + 6 = 8	5 + 4 = 9	7 + 1 = 8
1 + 4 = 5	6 + 3 = 9	4 + 2 = 6	2 + 2 = 4
3 + 5 = 8	3 + 1 = 4	6 + 1 = 7	4 + 5 = 9
2 + 7 = 9	4 + 3 = 7	2 + 7 = 9	3 + 3 = 6
1 + 5 = 6	5 + 4 = 9	1 + 6 = 7	4 + 4 = 8

24 · P04 작은 수의 덧셈과 뺄셈

이번에는 여자 마술사가 구슬 마술을 보여 주고 있네요. 앞의 마술사가 했던 첫 번째 마술은 자기도 할 수 있다는 듯 빨간색 구슬 1개를 움직이네요. 하지만 두 번째 마술에서는 더 많은 파란색 구슬을 움직이고 있어요. 구슬이 움직이고 난 후 상자 안에는 몇 개의 구슬이 남아 있을까요?

3일차에서는 □가 있는 덧셈식에서 □를 구하였습니다. 이번에는 □가 있는 뺄셈식에서 □를 구하는 효율적인 방법을 알아봅니다. 덧셈식보다 뺄셈식의 □를 구하는 것이 아이들에게 더 어렵게 느껴질 수 있습니다. 덧셈식과 뺄셈식의 관계를 생각하여 □를 구할 수 있도록 충분한 시간을 주세요.

뺄셈식	덧셈식
4−1=3	3+1=4
4−3=1	1+3=4

➡ 3 + 1 = 4 → 4 − 1 = 3 ➡ 4 − 1 = 3

P 26 ~ 27

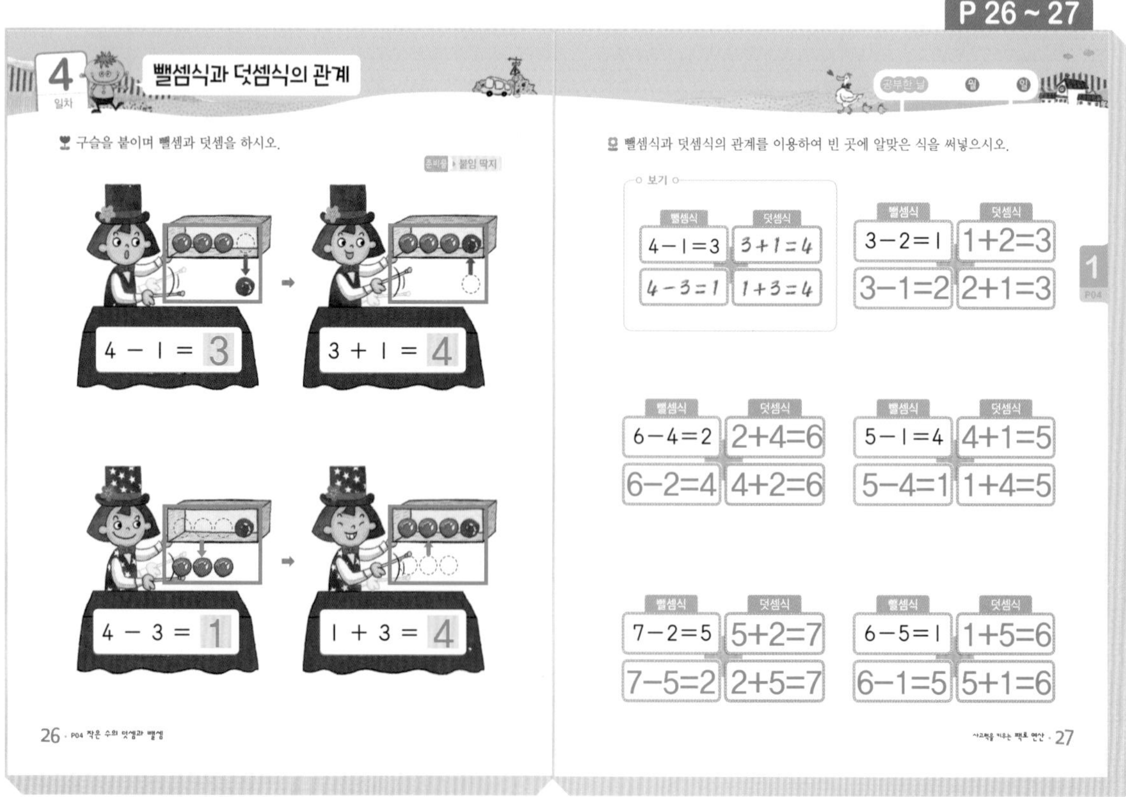
4 일차 뺄셈식과 덧셈식의 관계

구슬을 붙이며 뺄셈과 덧셈을 하시오.

준비물 붙임 딱지

4 − 1 = 3 → 3 + 1 = 4

4 − 3 = 1 → 1 + 3 = 4

공부한 날 월 일

뺄셈식과 덧셈식의 관계를 이용하여 빈 곳에 알맞은 식을 써넣으시오.

보기

뺄셈식	덧셈식
4−1=3	3+1=4
4−3=1	1+3=4

뺄셈식	덧셈식
3−2=1	1+2=3
3−1=2	2+1=3

뺄셈식	덧셈식
6−4=2	2+4=6
6−2=4	4+2=6

뺄셈식	덧셈식
5−1=4	4+1=5
5−4=1	1+4=5

뺄셈식	덧셈식
7−2=5	5+2=7
7−5=2	2+5=7

뺄셈식	덧셈식
6−5=1	1+5=6
6−1=5	5+1=6

26 · P04 작은 수의 덧셈과 뺄셈

사고력을 키우는 팩토 연산 · 27

P 28 ~ 29

뺄셈식과 덧셈식의 관계를 이용하여 ☐ 안에 알맞은 수를 써넣으시오.

3 − 1 = 2
3 − 2 = 1

6 − 5 = 1
6 − 1 = 5

5 − 2 = 3
5 − 3 = 2

4 − 2 = 2
4 − 2 = 2

8 − 2 = 6
8 − 6 = 2

7 − 1 = 6
7 − 6 = 1

9 − 5 = 4
9 − 4 = 5

5 − 4 = 1
5 − 1 = 4

6 − 4 = 2
6 − 2 = 4

8 − 5 = 3
8 − 3 = 5

3 + 1 = 4
4 − 1 = 3

2 + 1 = 3
3 − 1 = 2

1 + 4 = 5
5 − 4 = 1

5 + 2 = 7
7 − 2 = 5

3 + 3 = 6
6 − 3 = 3

1 + 1 = 2
2 − 1 = 1

4 + 3 = 7
7 − 3 = 4

3 + 2 = 5
5 − 2 = 3

3 + 6 = 9
9 − 6 = 3

1 + 7 = 8
8 − 7 = 1

28 · P04 작은 수의 덧셈과 뺄셈

사고력을 키우는 팩토 연산 · 29

P 30 ~ 31

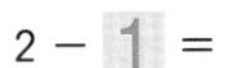

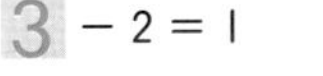

☐ 안에 알맞은 수를 써넣으시오.

2 − 1 = 1

4 − 3 = 1

5 − 2 = 3

3 − 1 = 2

6 − 5 = 1

7 − 4 = 3

9 − 3 = 6

8 − 6 = 2

7 − 2 = 5

6 − 3 = 3

8 − 4 = 4

9 − 7 = 2

3 − 2 = 1

5 − 1 = 4

4 − 2 = 2

8 − 2 = 6

9 − 5 = 4

7 − 6 = 1

8 − 1 = 7

6 − 2 = 4

7 − 5 = 2

9 − 6 = 3

8 − 3 = 5

7 − 3 = 4

30 · P04 작은 수의 덧셈과 뺄셈

엄마가 간식으로 맛있는 사탕을 접시에 담아 놓고 가셨어요. 그런데 엄마는 아이들 이가 상할까봐 사탕을 다 먹지 말라는 편지를 쓰셨네요. 누나가 사탕을 많이 가져가서인지 동생이 울먹이고 있어요. 하지만 곧 누나가 동생에게 사탕 1개를 주려고 접시에 돌려 놓네요. 동생은 누나가 준 사탕 1개를 받고 싱글벙글이네요. 이제 접시 위에 남은 사탕은 몇 개일까요?

지금까지 배운 9 이하의 수에서 작은 수의 덧셈과 뺄셈을 마무리하는 과정으로 세 수의 계산을 학습합니다. 여러 개의 수를 계산할 때 순서를 바꾸면 계산 결과가 달라질 수도 있으므로 앞에서부터 차례대로 계산하도록 합니다.

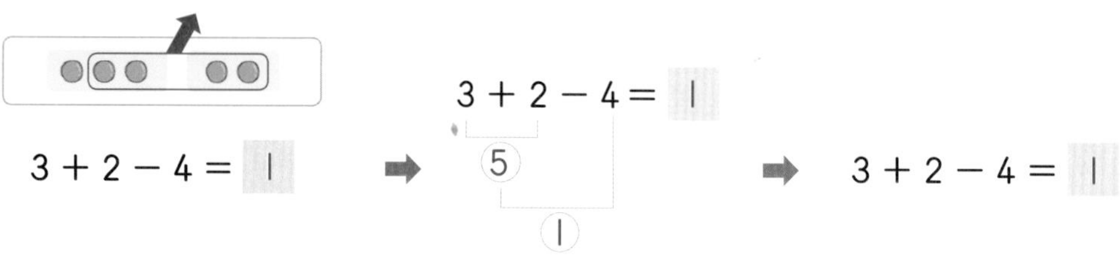

P 32 ~ 33

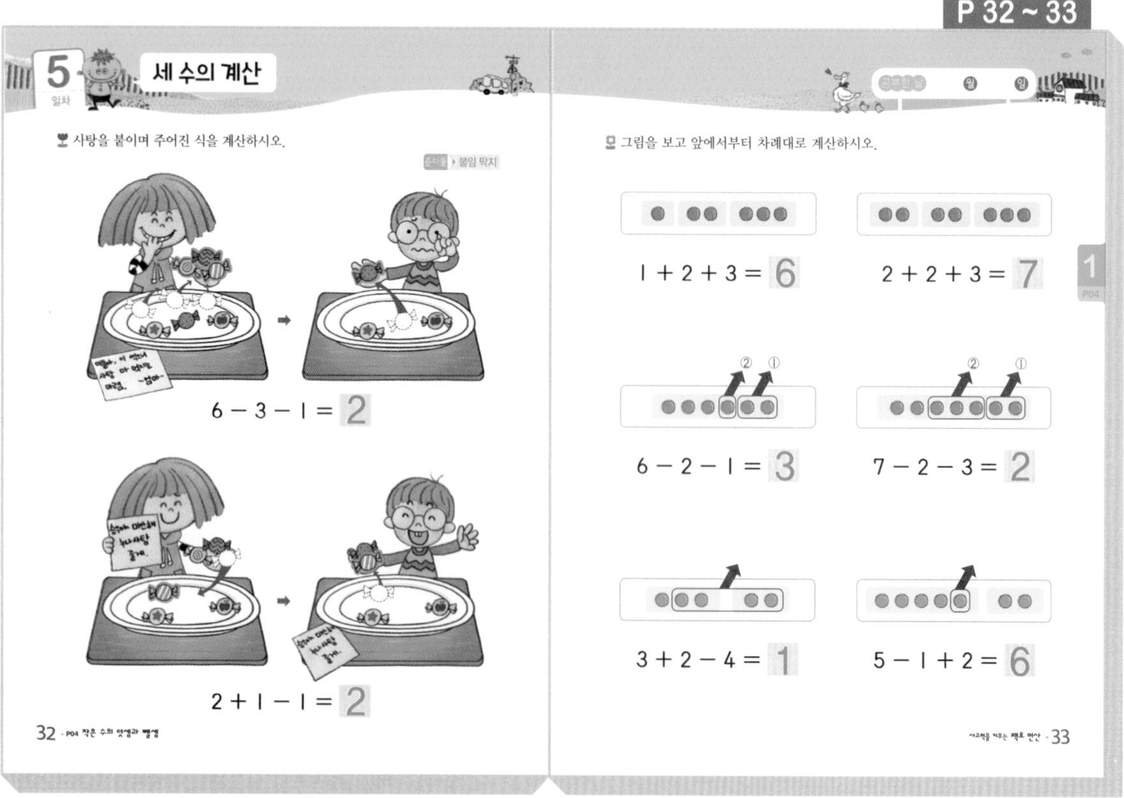

5 일차
세 수의 계산
사탕을 붙이며 주어진 식을 계산하시오.
6 − 3 − 1 = 2
2 + 1 − 1 = 2
32
그림을 보고 앞에서부터 차례대로 계산하시오.
1 + 2 + 3 = 6
2 + 2 + 3 = 7
6 − 2 − 1 = 3
7 − 2 − 3 = 2
3 + 2 − 4 = 1
5 − 1 + 2 = 6
33

P 34 ~ 35

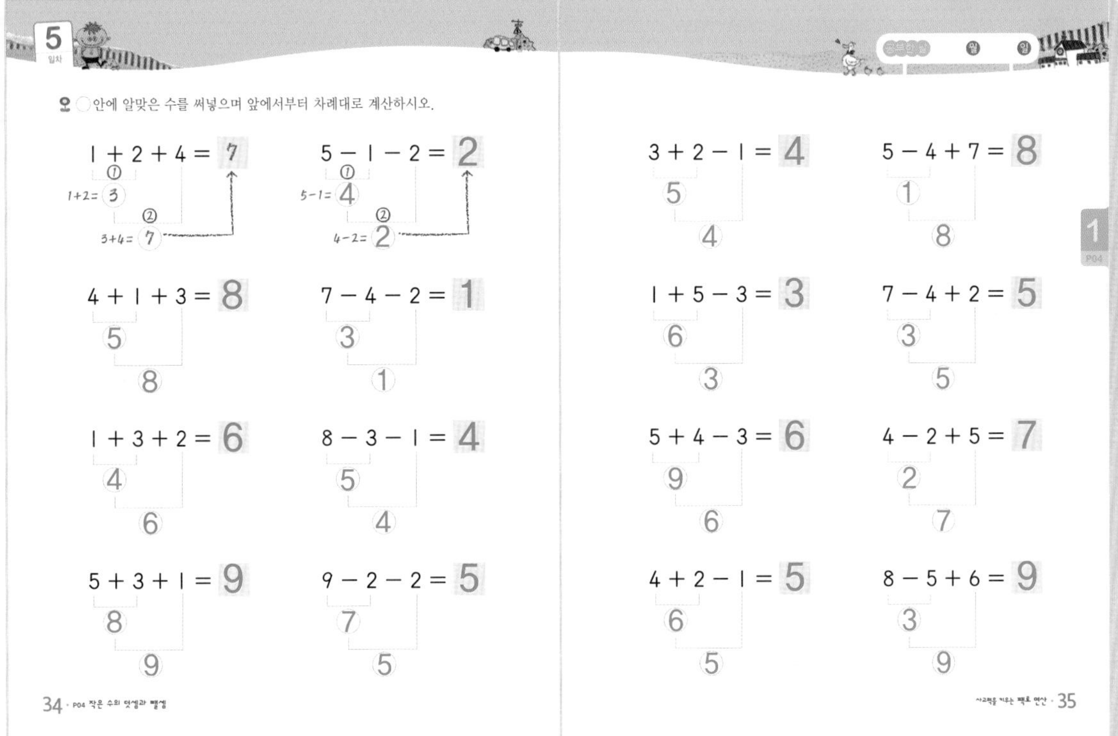
5 일차

○ 안에 알맞은 수를 써넣으며 앞에서부터 차례대로 계산하시오.

1 + 2 + 4 = 7 (① 1+2= 3, ② 3+4= 7)

5 − 1 − 2 = 2 (① 5−1= 4, ② 4−2= 2)

4 + 1 + 3 = 8 (5, 8)

7 − 4 − 2 = 1 (3, 1)

1 + 3 + 2 = 6 (4, 6)

8 − 3 − 1 = 4 (5, 4)

5 + 3 + 1 = 9 (8, 9)

9 − 2 − 2 = 5 (7, 5)

3 + 2 − 1 = 4 (5, 4)

5 − 4 + 7 = 8 (1, 8)

1 + 5 − 3 = 3 (6, 3)

7 − 4 + 2 = 5 (3, 5)

5 + 4 − 3 = 6 (9, 6)

4 − 2 + 5 = 7 (2, 7)

4 + 2 − 1 = 5 (6, 5)

8 − 5 + 6 = 9 (3, 9)

34 · P04 작은 수의 덧셈과 뺄셈

사고력을 키우는 팩토 연산 · 35

P 36 ~ 37

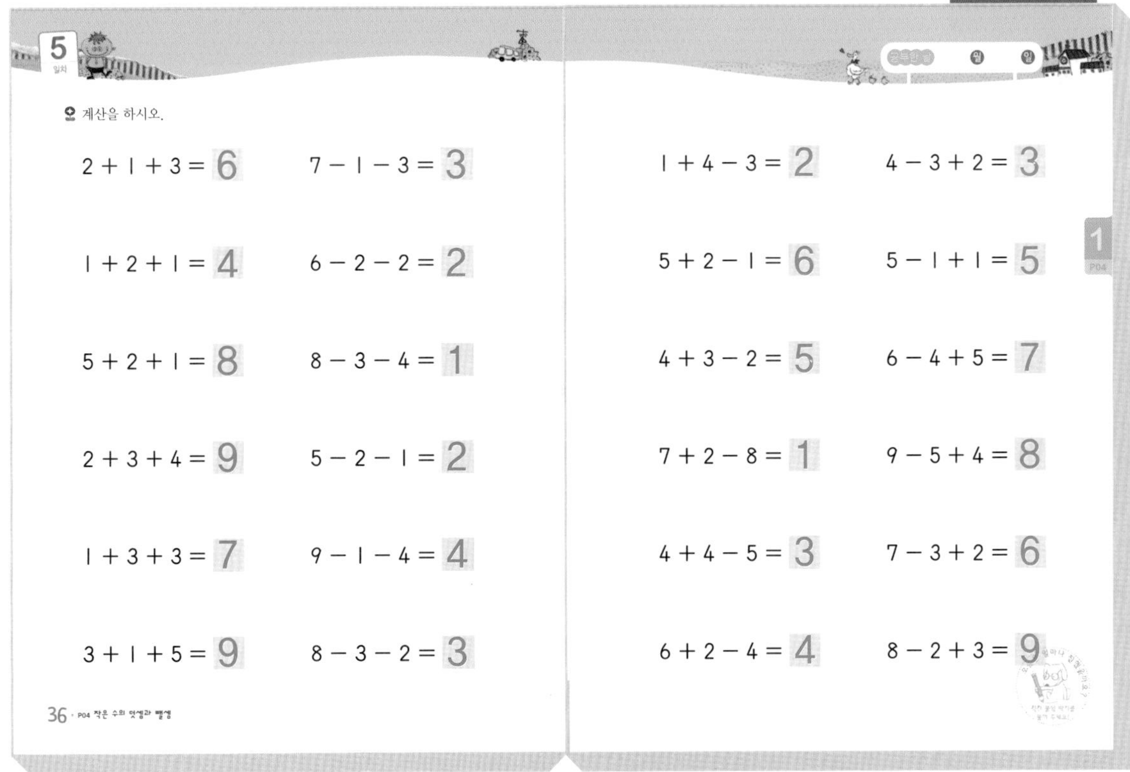
5 일차

계산을 하시오.

2 + 1 + 3 = 6

7 − 1 − 3 = 3

1 + 2 + 1 = 4

6 − 2 − 2 = 2

5 + 2 + 1 = 8

8 − 3 − 4 = 1

2 + 3 + 4 = 9

5 − 2 − 1 = 2

1 + 3 + 3 = 7

9 − 1 − 4 = 4

3 + 1 + 5 = 9

8 − 3 − 2 = 3

1 + 4 − 3 = 2

4 − 3 + 2 = 3

5 + 2 − 1 = 6

5 − 1 + 1 = 5

4 + 3 − 2 = 5

6 − 4 + 5 = 7

7 + 2 − 8 = 1

9 − 5 + 4 = 8

4 + 4 − 5 = 3

7 − 3 + 2 = 6

6 + 2 − 4 = 4

8 − 2 + 3 = 9

36 · P04 작은 수의 덧셈과 뺄셈

P 38 ~ 39

2~4주 사고력 연산을 학습하기 전에 기본 연산 실력을 점검해 보세요.

정답 수 / 40개
날짜 월 일

1. 1 + 3 = 4
2. 6 − 4 = 2
3. 2 + 7 = 9
4. 8 − 2 = 6
5. 7 − 4 = 3
6. 3 + 3 = 6
7. 1 + 2 = 3
8. 5 − 1 = 4
9. 3 + 5 = 8
10. 6 − 2 = 4
11. 8 − 7 = 1
12. 4 + 3 = 7

38 · P04 작은 수의 덧셈과 뺄셈

연산 실력 체크

13. 1 + 3 = 4
14. 4 + 4 = 8
15. 2 + 7 = 9
16. 6 − 1 = 5
17. 8 − 5 = 3
18. 9 − 3 = 6
19. 2 + 2 = 4
20. 5 + 3 = 8
21. 1 + 5 = 6
22. 8 − 3 = 5
23. 7 − 4 = 3
24. 9 − 2 = 7

사고력을 키우는 팩토 연산 · 39

P 40 ~ 41

작은 수의 덧셈과 뺄셈

25. 2 + 1 + 3 = 6
26. 3 + 2 − 4 = 1
27. 7 − 1 − 3 = 3
28. 6 − 4 + 5 = 7
29. 5 − 3 − 2 = 0
30. 2 + 5 − 3 = 4
31. 9 − 4 + 4 = 9
32. 6 + 2 − 3 = 5
33. 3 + 4 + 1 = 8
34. 6 − 1 − 3 = 2
35. 7 − 3 + 2 = 6
36. 4 + 4 − 7 = 1

40 · P04 작은 수의 덧셈과 뺄셈

연산 실력 체크

37. 3 + 1 + 3 = 7
38. 6 − 4 + 7 = 9
39. 7 − 2 − 5 = 0
40. 4 + 5 − 4 = 5

연산 실력 분석

오답 수에 맞게 학습을 진행하시기 바랍니다.

평가	오답 수	학습 방법
최고예요	0 ~ 2개	전반적으로 학습 내용에 대해 정확히 이해하고 있으며 매우 우수합니다. 기본 연산 문제를 자신 있게 풀 수 있는 실력을 갖추었으므로 이제는 사고력을 향상시킬 차례입니다. 2주차부터 차근차근 학습을 진행해 보세요. 학습 [2주차] → [3주차] → [4주차]
잘했어요	3 ~ 4개	기본 연산 문제를 전반적으로 잘 이해하고 풀었지만 약간의 실수가 있는 것 같습니다. 틀린 문제를 다시 한 번 풀어 보고, 문제를 차근차근 푸는 습관을 갖도록 노력해 보세요. 매스티안 홈페이지에서 제공하는 보충 학습으로 연산 실력을 향상시킨 후 2, 3, 4주차 학습을 진행해 주세요. 학습 [틀린 문제 복습] → [보충 학습] → [2주차] → …
노력해요	5개 이상	개념을 정확하게 이해하고 있지 않아 연산을 하는데 어려움이 있습니다. 개념을 이해하고 연산 문제를 반복해서 연습해 보세요. 매스티안 홈페이지에서 제공하는 보충 학습이 연산 실력을 향상시키는데 도움이 될 것입니다. 여러분도 곧 연산왕이 될 수 있습니다. 조금만 힘을 내 주세요. 학습 [1주차 원리 중심 복습] → [보충 학습] → [2주차] → …

매스티안 홈페이지 : www.mathtian.com

사고력을 키우는 팩토 연산 · 41

P04 정답

P 44 ~ 45

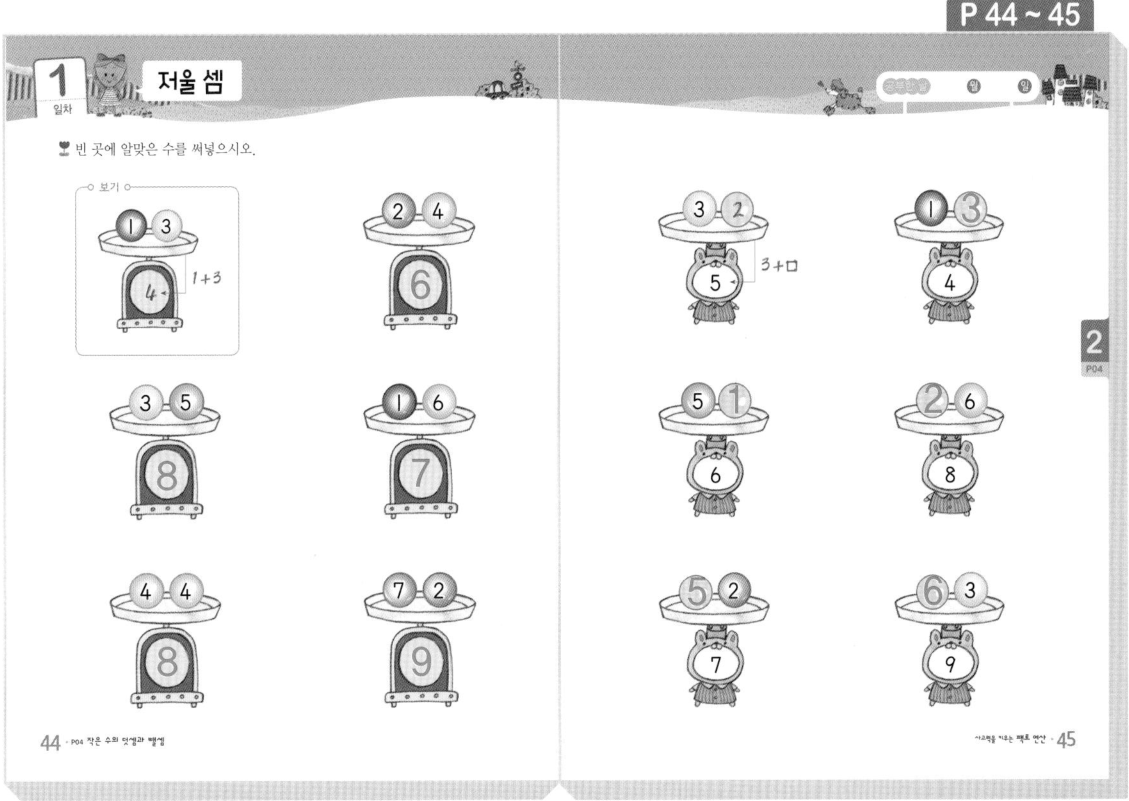

P 46 ~ 47

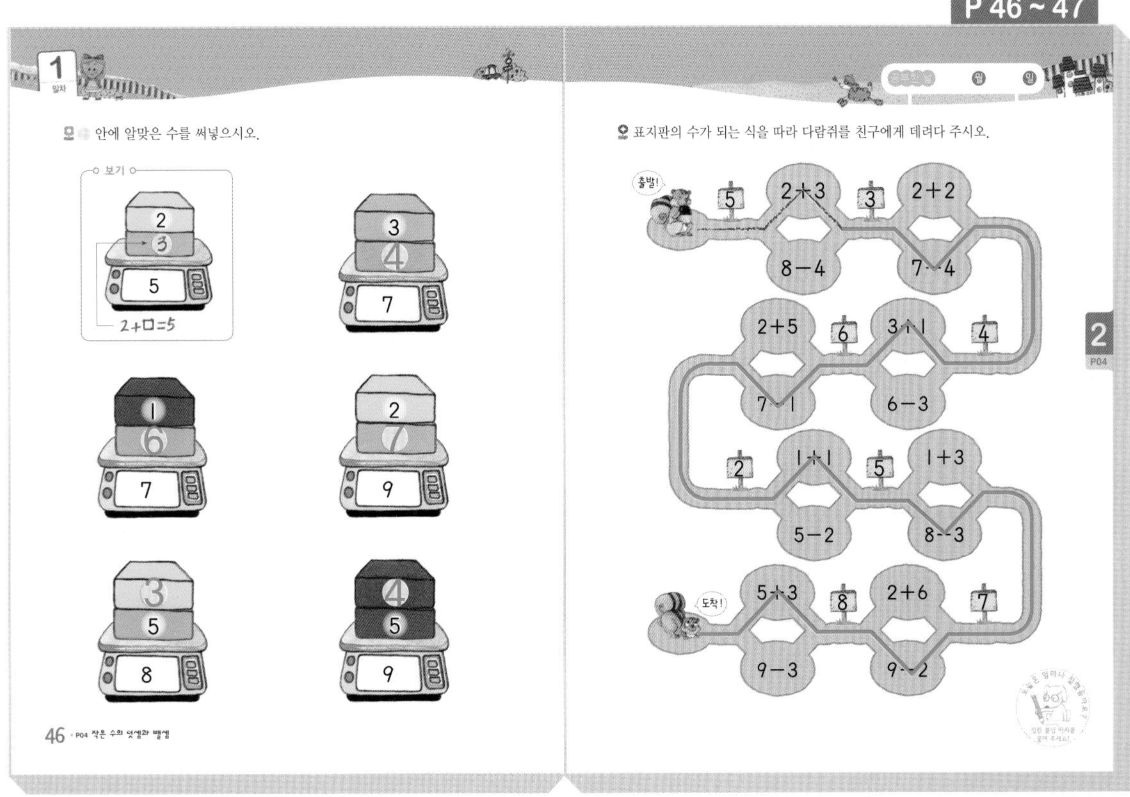

P 48 ~ 49

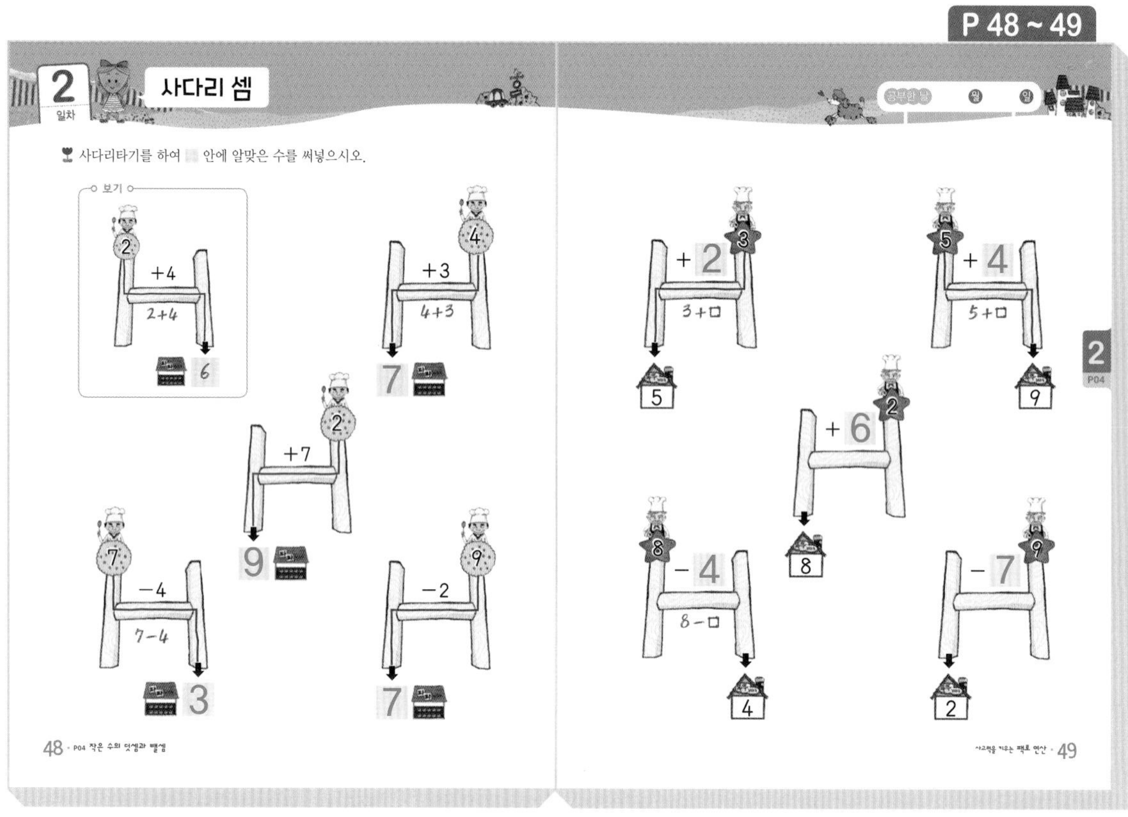
2 일차 사다리 셈
사다리타기를 하여 안에 알맞은 수를 써넣으시오.
보기
+4
2+4
6
+3
4+3
7
+7
9
-4
7-4
3
-2
7
+2
3+□
5
+4
5+□
9
+6
8
-4
8-□
4
-7
2
48 · P04 작은 수의 덧셈과 뺄셈
사고력을 키우는 빠른 연산 · 49

P 50 ~ 51

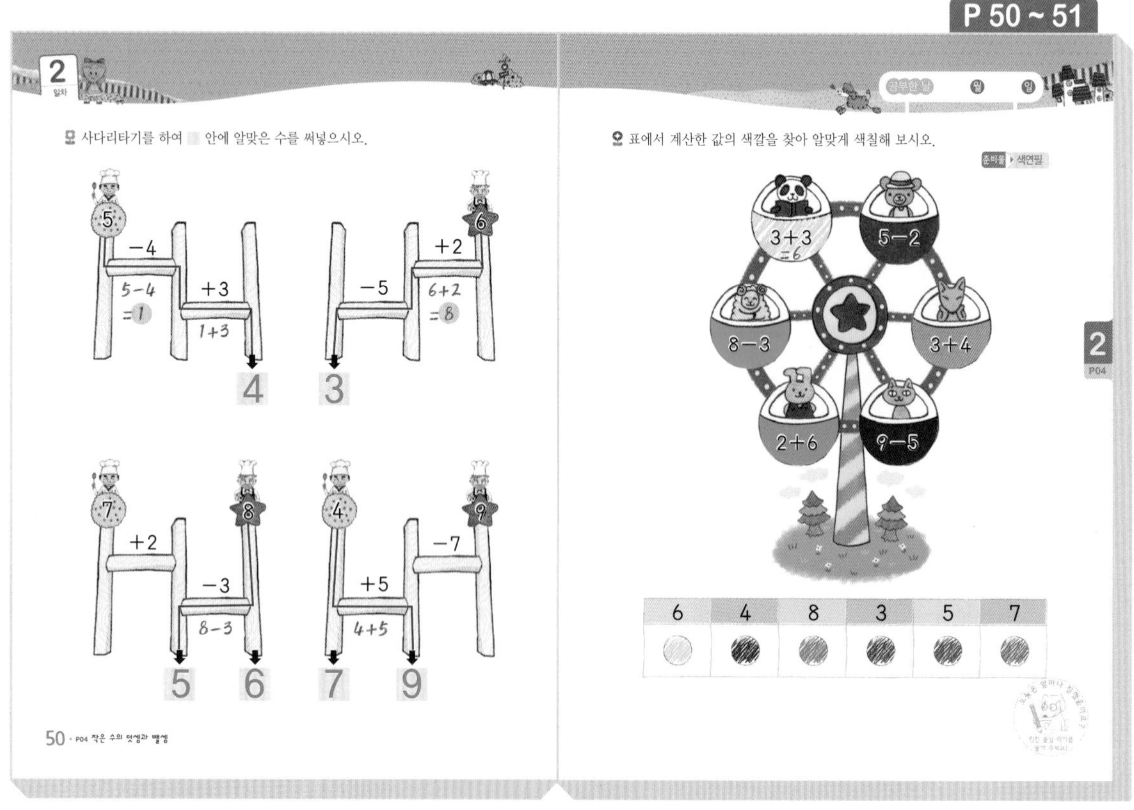
2 일차
사다리타기를 하여 안에 알맞은 수를 써넣으시오.
-4
5-4 =1
+3
1+3
4
+2
6+2 =8
-5
3
+2
-3
8-3
5
6
+5
4+5
-7
7
9
표에서 계산한 값의 색깔을 찾아 알맞게 색칠해 보시오.
준비물 색연필
3+3 =6
5-2
8-3
3+4
2+6
9-5
6
4
8
3
5
7
50 · P04 작은 수의 덧셈과 뺄셈

P 52 ~ 53

3 일차 규칙 셈

공부한 날 월 일

규칙을 찾아 ▢ 안에 알맞은 수를 써넣으시오.

보기: 1, 2 + 4, 3 → 2+4 = 6, 1+3 = 4

- 5, 2 + 3, 1 → 2+3 = 5, 5+1 = 6
- 2, 1 + 6, 3 → 7, 5
- 3, 2 + 6, 3 → 8, 6
- 2, 4 + 5, 6 → 9, 8
- 5, 4 − 1, 3 → 4−1 = 3, 5−3 = 2
- 5, 6 − 1, 4 → 5, 1
- 6, 8 − 2, 4 → 6, 2
- 7, 9 − 5, 4 → 4, 3
- 9, 8 − 3, 2 → 5, 7

52 · P04 작은 수의 덧셈과 뺄셈

사고력을 키우는 팩토 연산 · 53

P 54 ~ 55

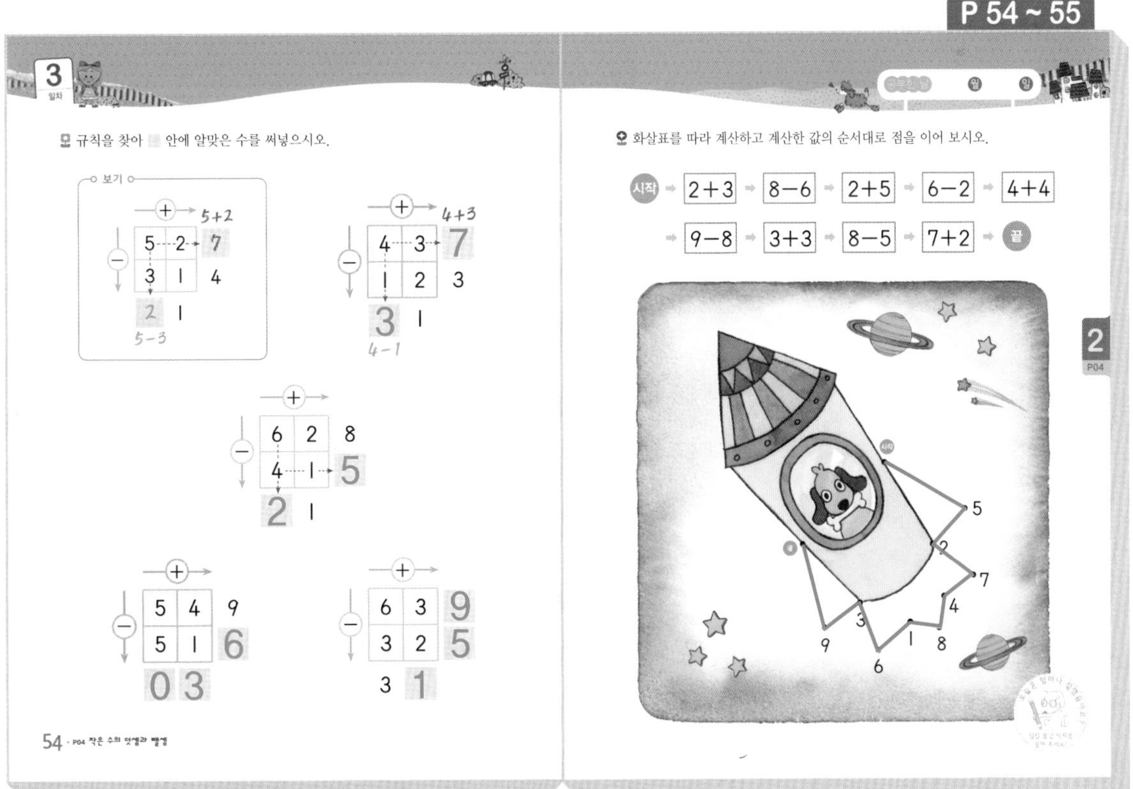

3 일차

공부한 날 월 일

규칙을 찾아 ▢ 안에 알맞은 수를 써넣으시오.

보기: 5 2 / 3 1 → 5+2 = 7, 4; 5−3 = 2, 1

- 4 3 / 1 2 → 4+3 = 7, 3; 4−1 = 3, 1
- 6 2 / 4 1 → 8, 5; 2, 1
- 5 4 / 5 1 → 9, 6; 0, 3
- 6 3 / 3 2 → 9, 5; 3, 1

화살표를 따라 계산하고 계산한 값의 순서대로 점을 이어 보시오.

시작 → 2+3 → 8−6 → 2+5 → 6−2 → 4+4 → 9−8 → 3+3 → 8−5 → 7+2 → 끝

54 · P04 작은 수의 덧셈과 뺄셈

P 56 ~ 57

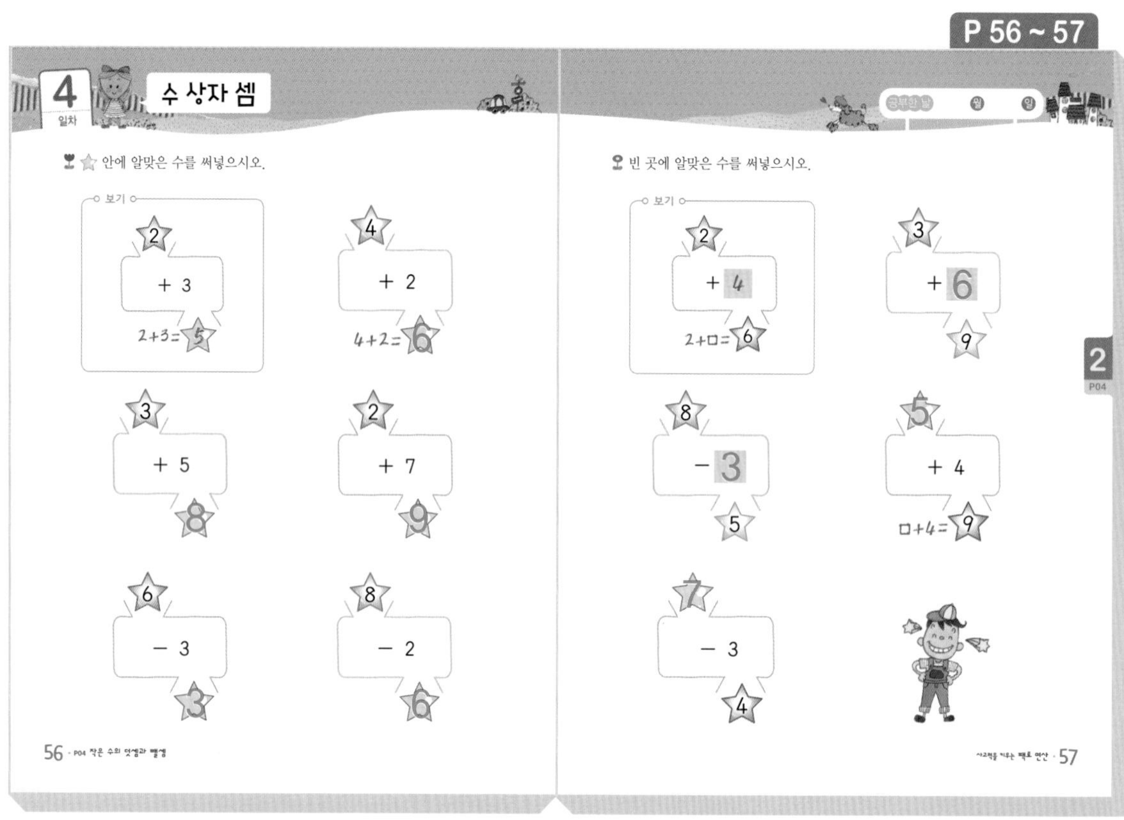
4 일차
수 상자 셈
☆ 안에 알맞은 수를 써넣으시오.
보기
2
+ 3
2+3=5
4
+ 2
4+2=6
3
+ 5
8
2
+ 7
9
6
− 3
3
8
− 2
6
56 · P04 작은 수의 덧셈과 뺄셈
빈 곳에 알맞은 수를 써넣으시오.
보기
2
+ 4
2+□=6
3
+ 6
9
8
− 3
5
5
+ 4
□+4=9
7
− 3
4
57

P 58 ~ 59

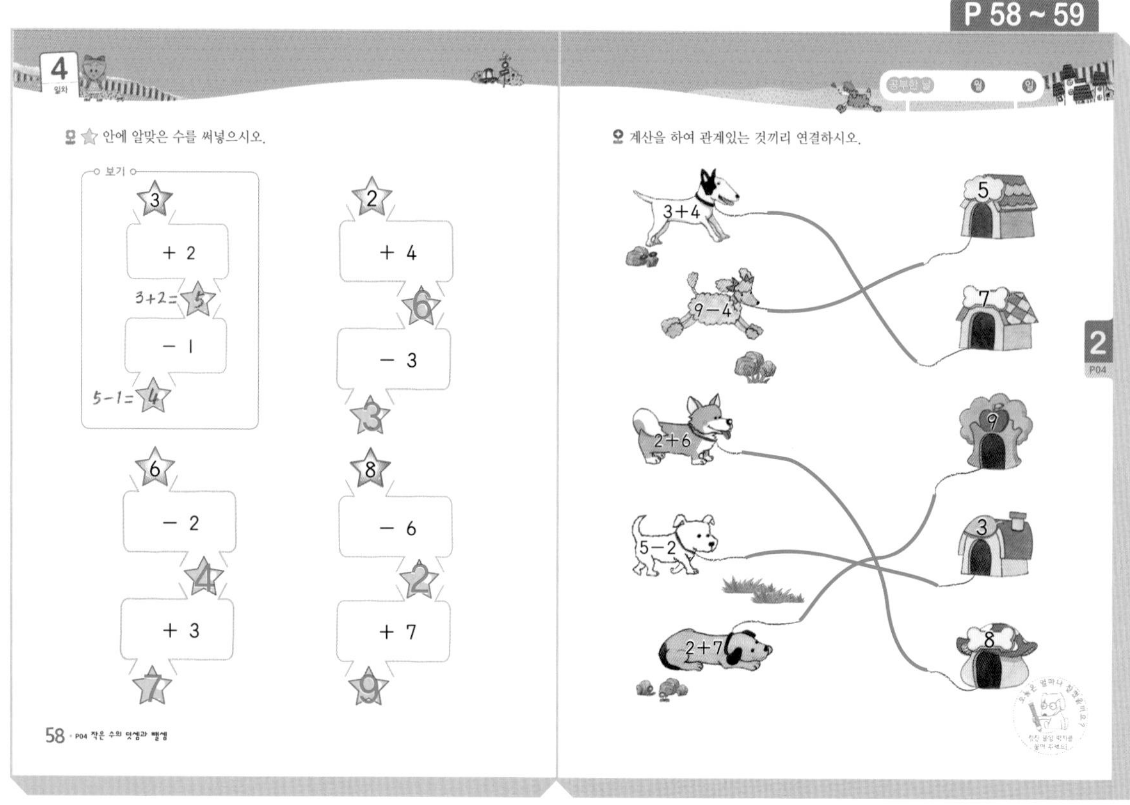
4 일차
☆ 안에 알맞은 수를 써넣으시오.
보기
3
+ 2
3+2=5
− 1
5−1=4
2
+ 4
6
− 3
3
6
− 2
4
+ 3
7
8
− 6
2
+ 7
9
58 · P04 작은 수의 덧셈과 뺄셈
계산을 하여 관계있는 것끼리 연결하시오.
3+4
9−4
2+6
5−2
2+7
5
7
9
3
8

P 60 ~ 61

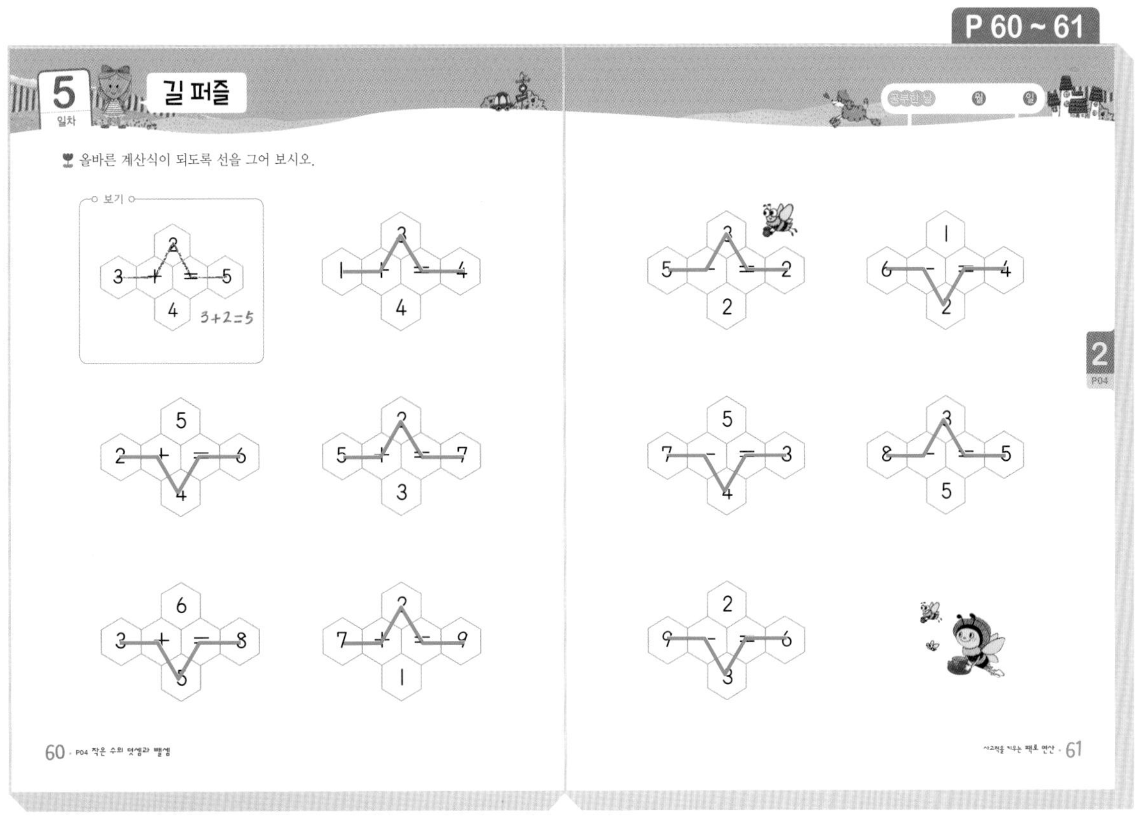
5 일차 길 퍼즐
올바른 계산식이 되도록 선을 그어 보시오.
보기
3+2=5
60 · P04 작은 수의 덧셈과 뺄셈
사고력을 키우는 팩토 연산 · 61

P 62 ~ 63

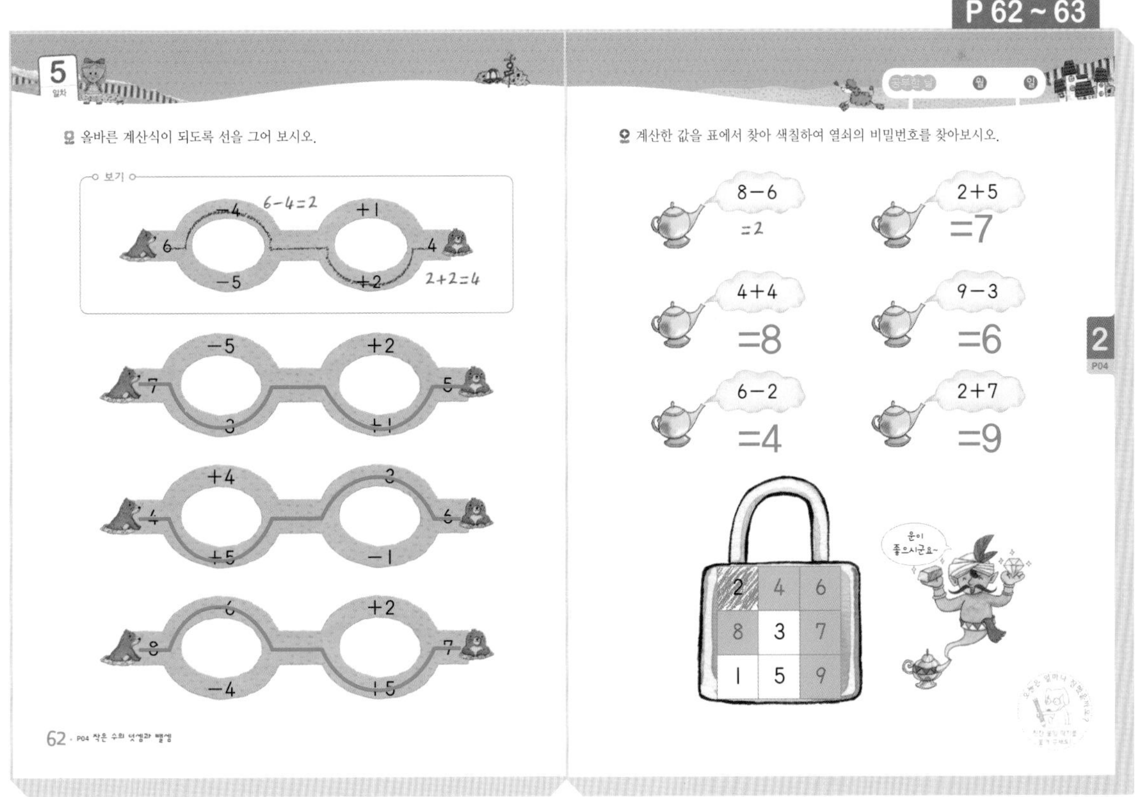
5 일차
올바른 계산식이 되도록 선을 그어 보시오.
보기
6-4=2
2+2=4
계산한 값을 표에서 찾아 색칠하여 열쇠의 비밀번호를 찾아보시오.
8-6
=2
2+5
=7
4+4
=8
9-3
=6
6-2
=4
2+7
=9
운이 좋으시군요~
62 · P04 작은 수의 덧셈과 뺄셈

P 66 ~ 67

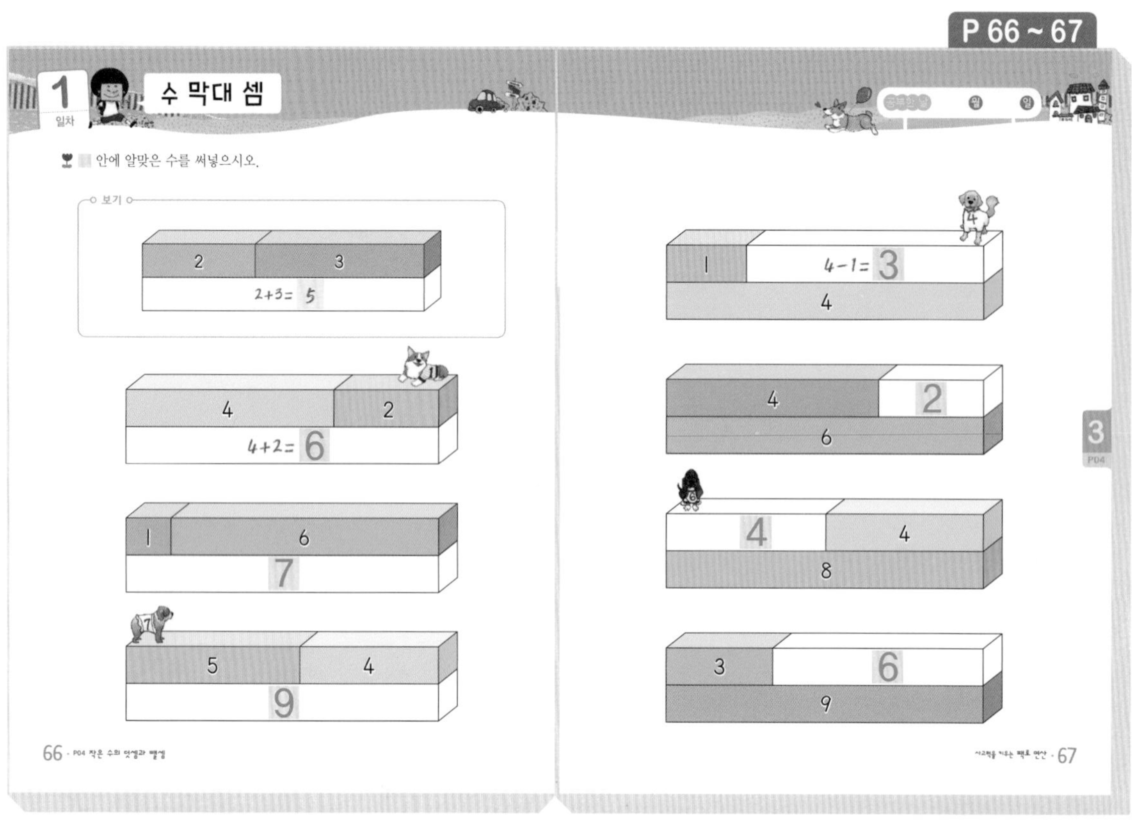
1 일차
수 막대 셈
안에 알맞은 수를 써넣으시오.
보기
2
3
2+3= 5
4
2
4+2= 6
1
6
7
5
4
9
1
4-1= 3
4
4
2
6
4
4
8
3
6
9
66 · P04 작은 수의 덧셈과 뺄셈
사고력을 키우는 빠르 연산 · 67

P 68 ~ 69

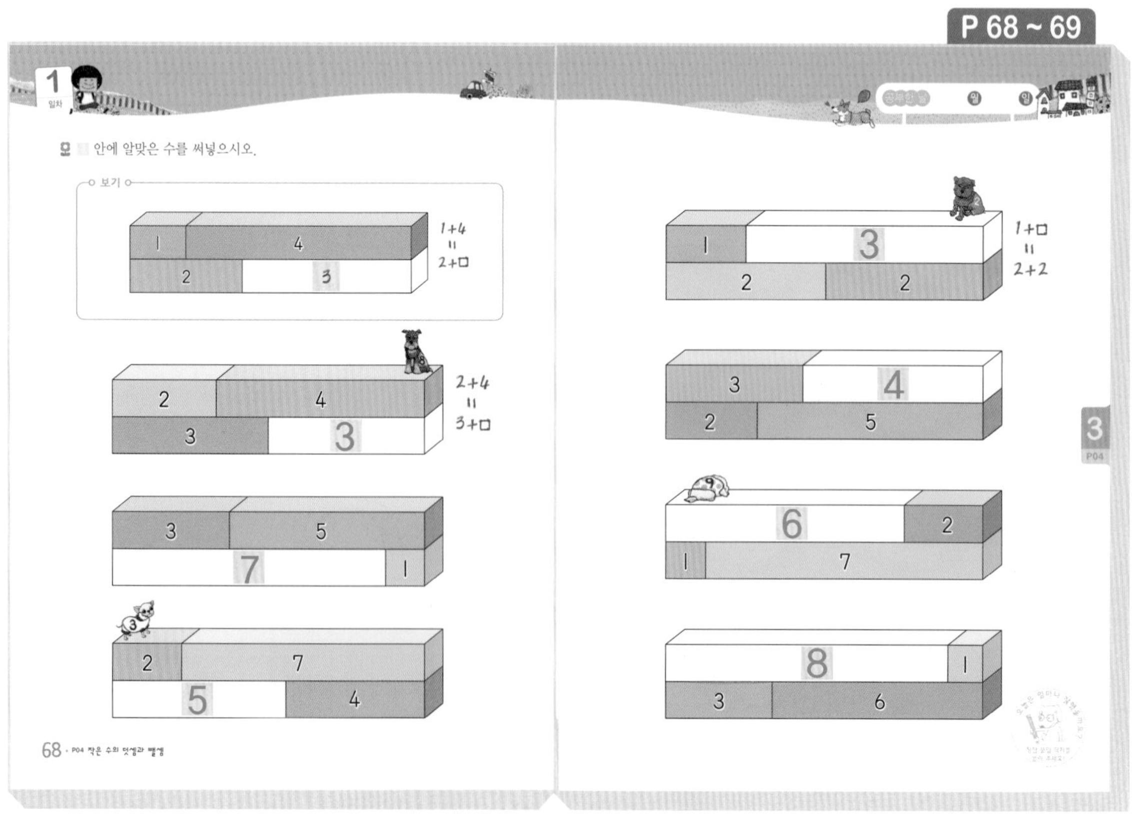
1 일차
안에 알맞은 수를 써넣으시오.
보기
1
4
2
3
1+4
=
2+□
2
4
3
3
2+4
=
3+□
3
5
7
1
2
7
5
4
1
3
2
2
1+□
=
2+2
3
4
2
5
6
2
1
7
8
1
3
6
68 · P04 작은 수의 덧셈과 뺄셈

P 70 ~ 71

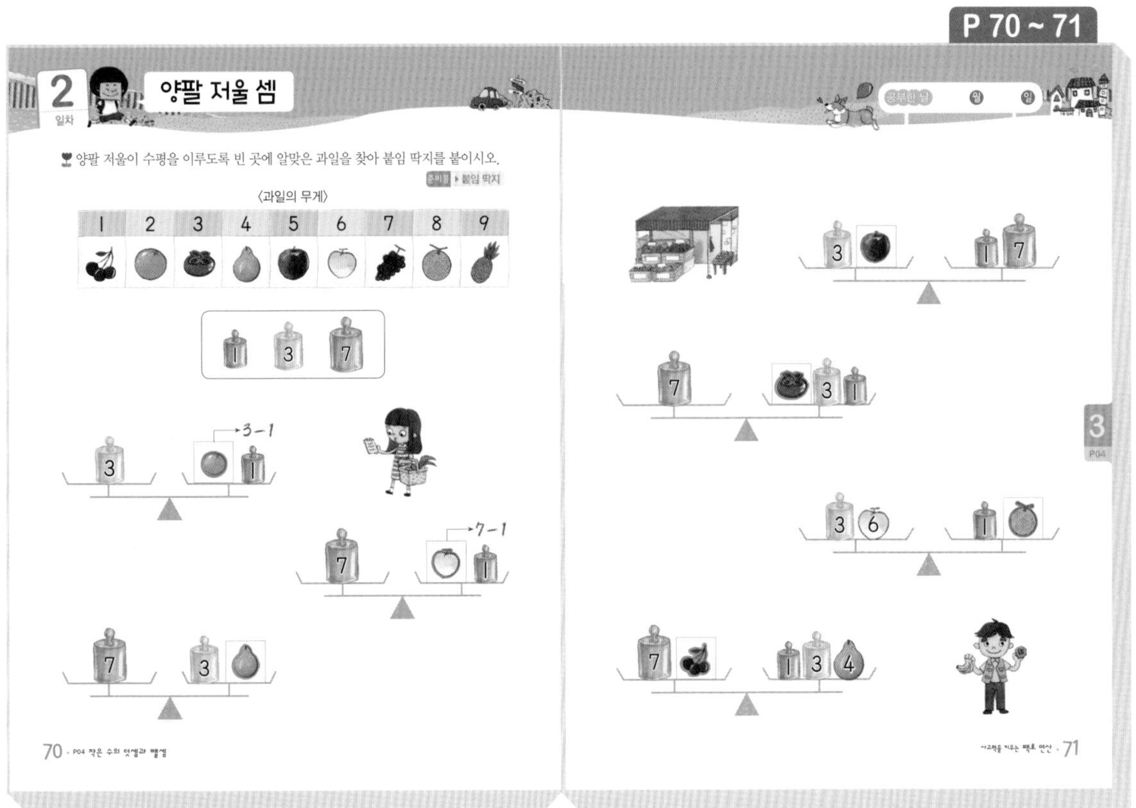
2 일차 양팔 저울 셈
양팔 저울이 수평을 이루도록 빈 곳에 알맞은 과일을 찾아 붙임 딱지를 붙이시오.
준비물 ▶ 붙임 딱지
〈과일의 무게〉
1 2 3 4 5 6 7 8 9
3-1
7-1
70 · P04 작은 수의 덧셈과 뺄셈
사고력을 키우는 팩토 연산 · 71

P 72 ~ 73

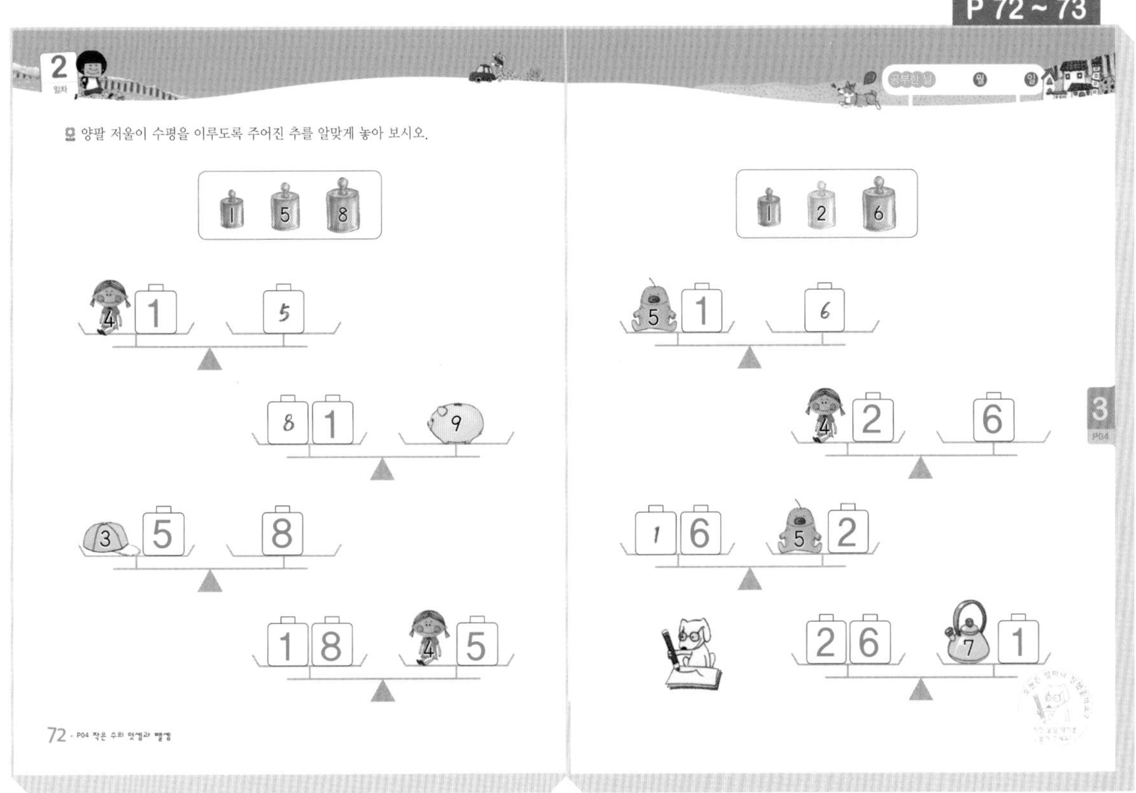
2 일차
양팔 저울이 수평을 이루도록 주어진 추를 알맞게 놓아 보시오.
72 · P04 작은 수의 덧셈과 뺄셈

P 74 ~ 75

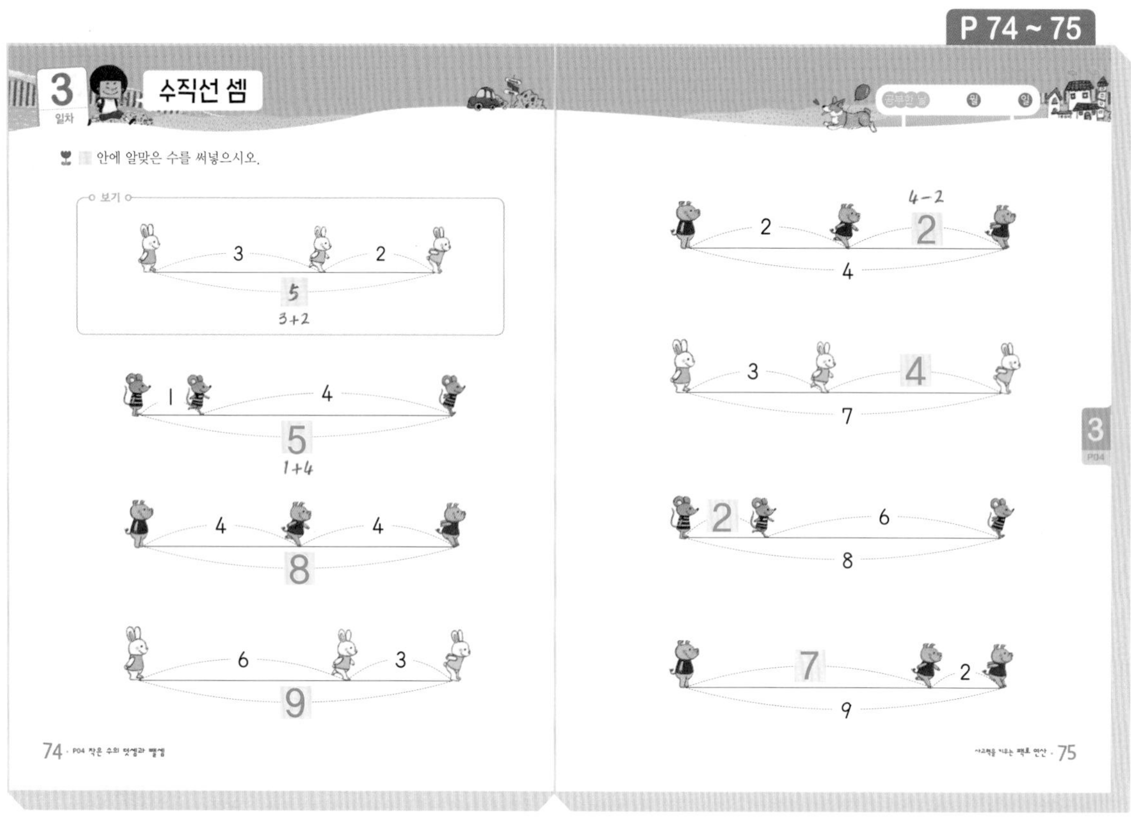
3 일차
수직선 셈
□ 안에 알맞은 수를 써넣으시오.
보기
3
2
5
3+2
1
4
5
1+4
4
4
8
6
3
9
74 · P04 작은 수의 덧셈과 뺄셈
2
4-2
2
4
3
4
7
2
6
8
7
2
9
75

P 76 ~ 77

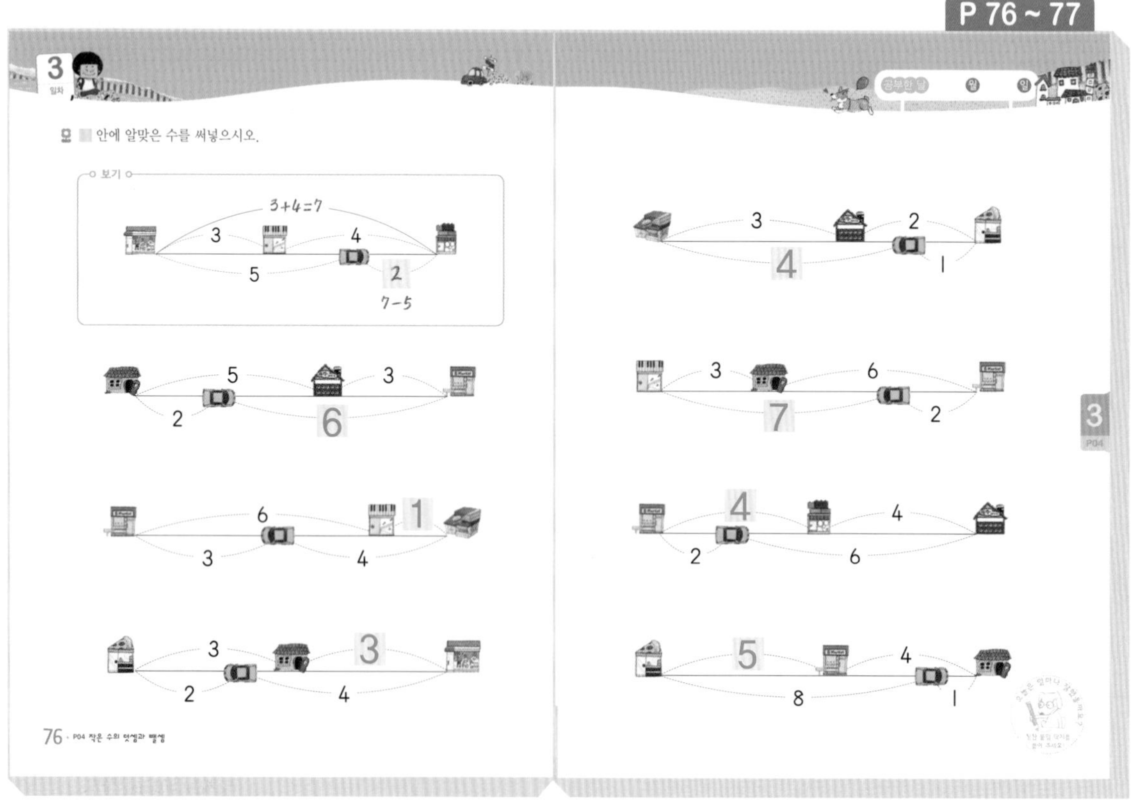
3 일차
□ 안에 알맞은 수를 써넣으시오.
보기
3+4=7
3
4
5
2
7-5
5
3
2
6
6
1
3
4
3
3
2
4
76 · P04 작은 수의 덧셈과 뺄셈
3
2
4
1
3
6
7
2
4
4
2
6
5
4
8
1

P04
정답

P 78 ~ 79

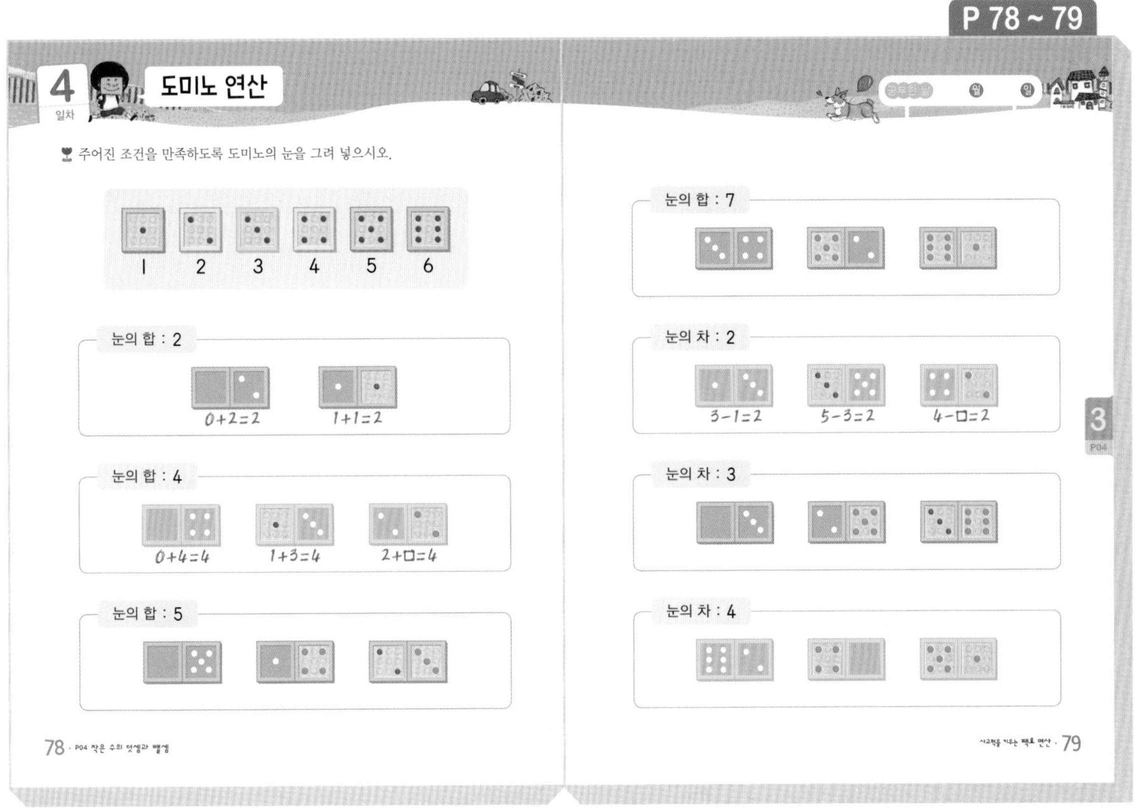
4
일차
도미노 연산
주어진 조건을 만족하도록 도미노의 눈을 그려 넣으시오.
1
2
3
4
5
6
눈의 합 : 2
0+2=2
1+1=2
눈의 합 : 4
0+4=4
1+3=4
2+□=4
눈의 합 : 5
눈의 합 : 7
눈의 차 : 2
3-1=2
5-3=2
4-□=2
눈의 차 : 3
눈의 차 : 4
78
79

P 80 ~ 81

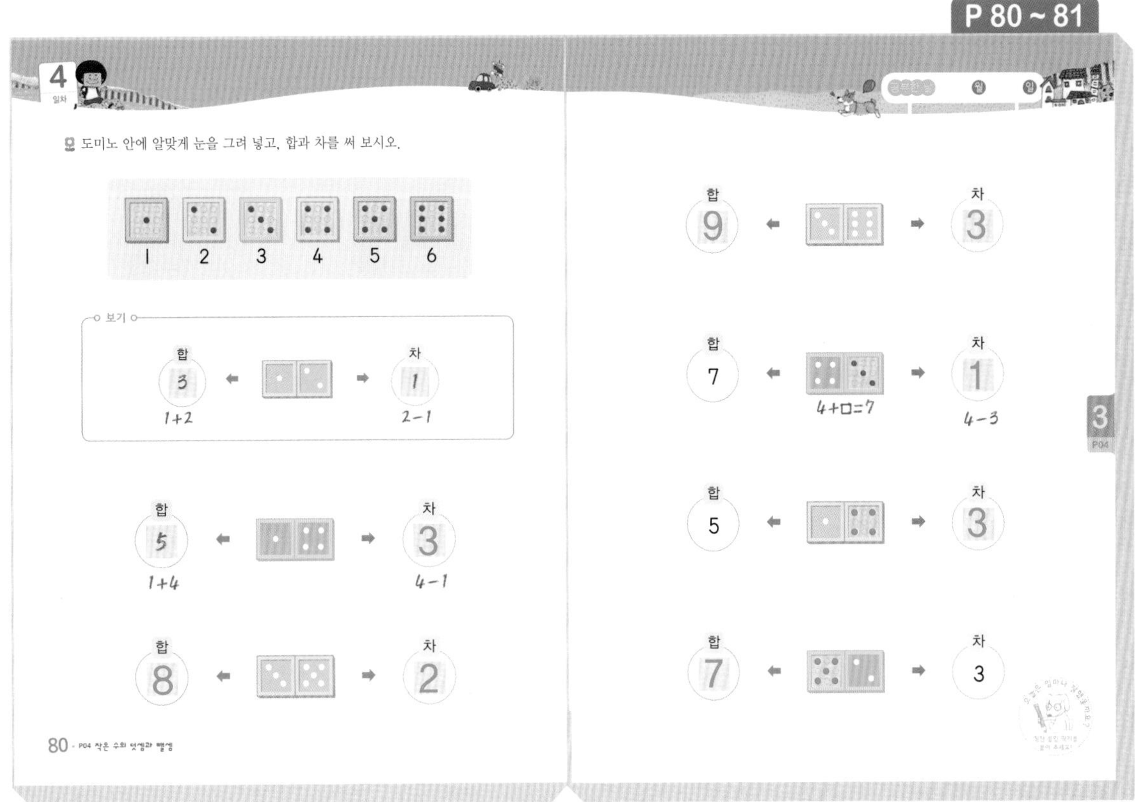
4
일차
도미노 안에 알맞게 눈을 그려 넣고, 합과 차를 써 보시오.
1
2
3
4
5
6
보기
합
3
1+2
차
1
2-1
합
5
1+4
차
3
4-1
합
8
차
2
합
9
차
3
합
7
4+□=7
차
1
4-3
합
5
차
3
합
7
차
3
80

P 82 ~ 83

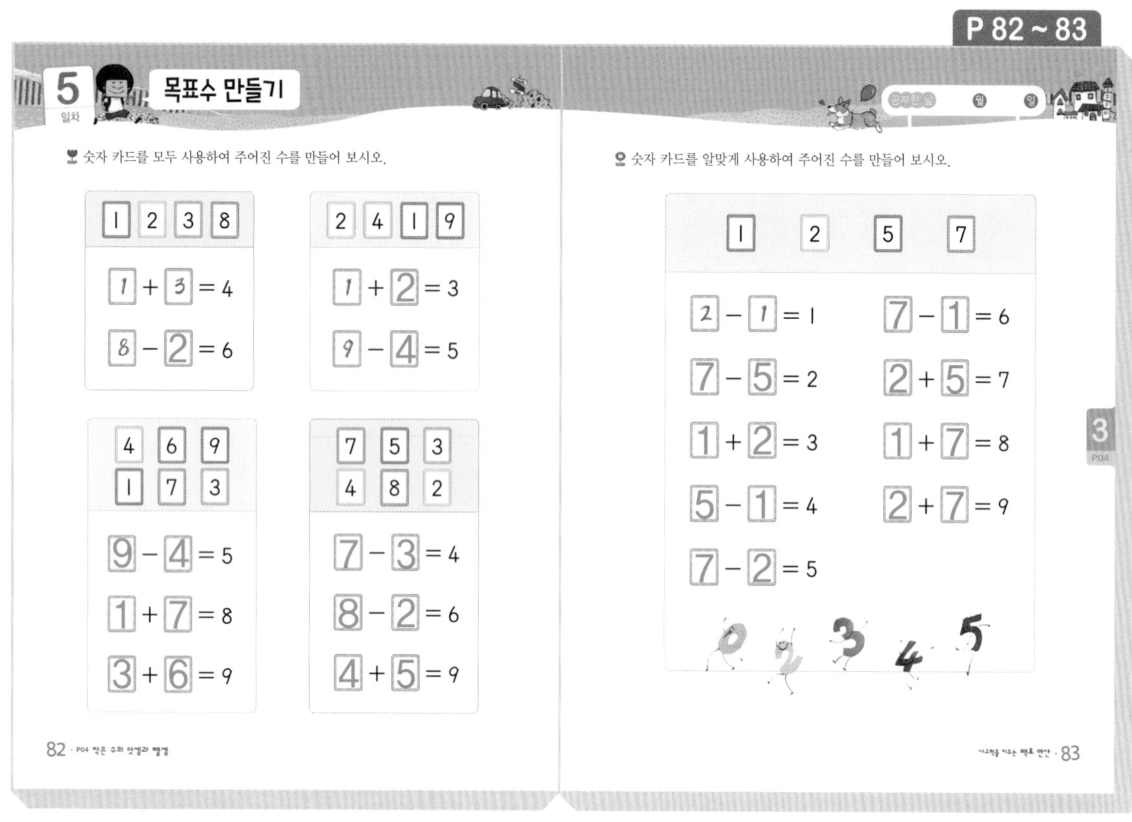

P 84 ~ 85

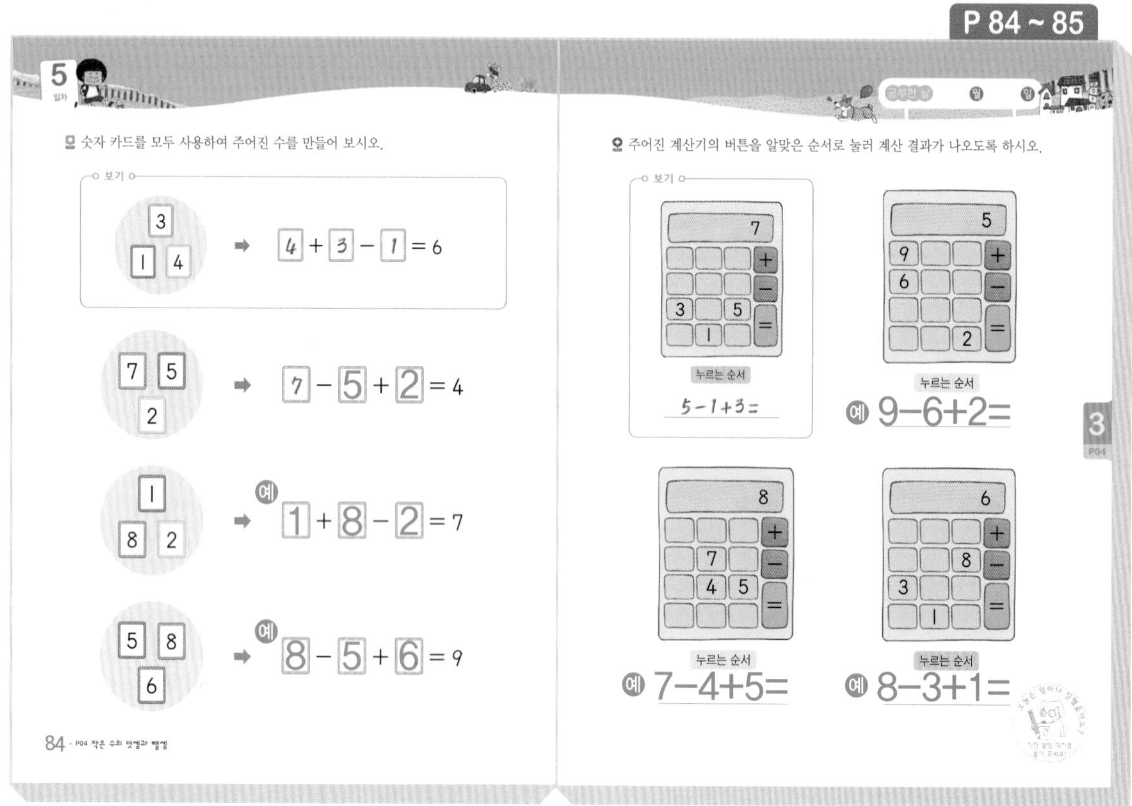

P04
정답

P 88 ~ 89

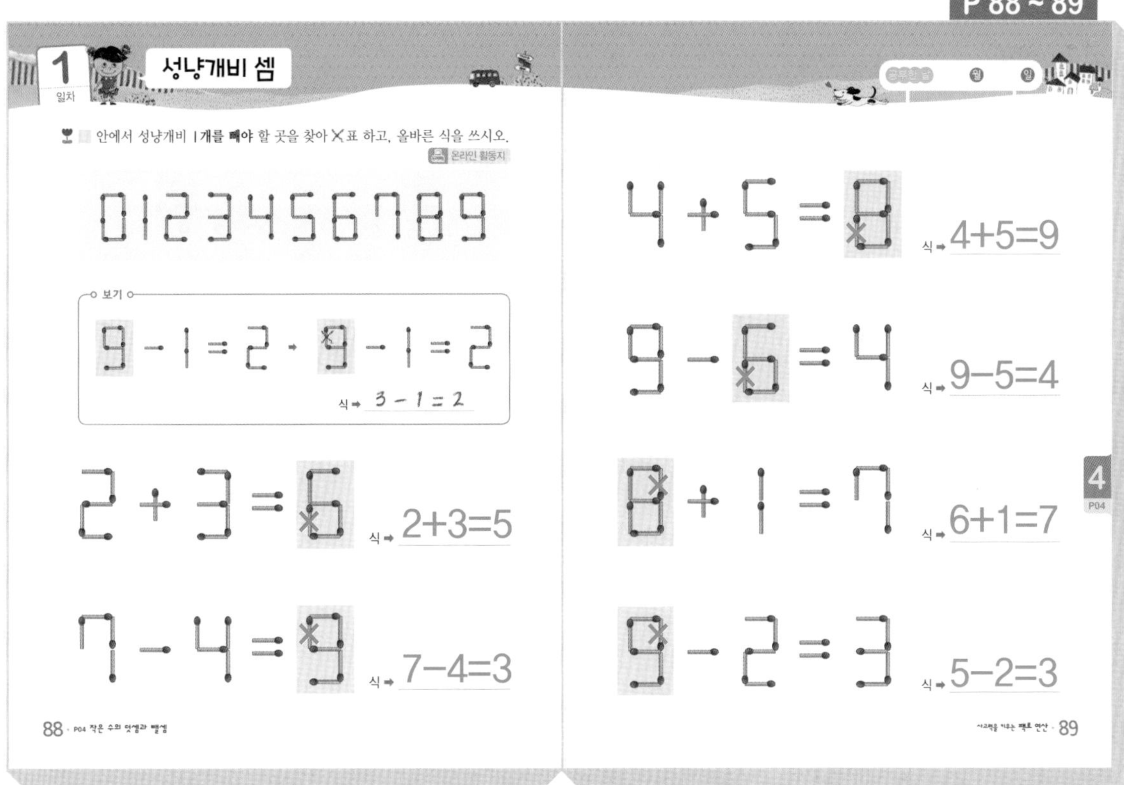
1
일차
성냥개비 셈
□ 안에서 성냥개비 1개를 빼야 할 곳을 찾아 ✕표 하고, 올바른 식을 쓰시오.
온라인 활동지
보기
식➡ 3 - 1 = 2
식➡ 2+3=5
식➡ 7−4=3
88 · P04 작은 수의 덧셈과 뺄셈
식➡ 4+5=9
식➡ 9−5=4
식➡ 6+1=7
식➡ 5−2=3
4
P04
사고력을 키우는 팩토 연산 · 89

P 90 ~ 91

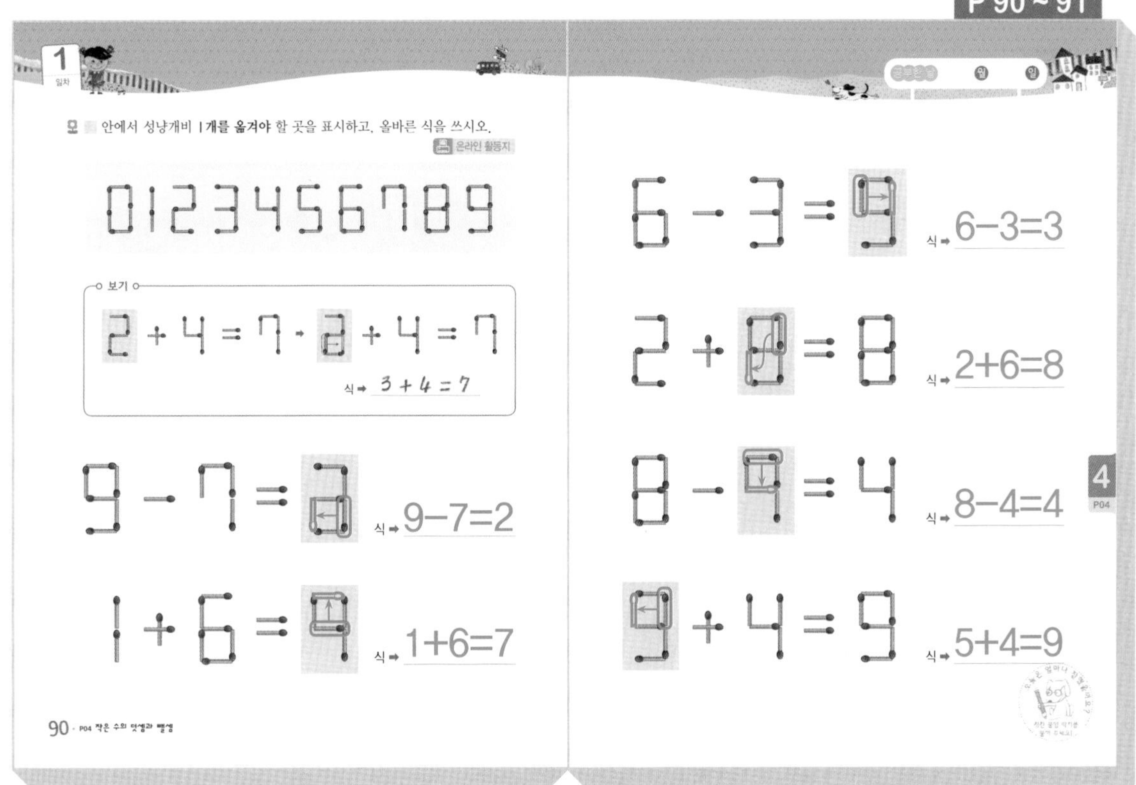
1
일차
□ 안에서 성냥개비 1개를 옮겨야 할 곳을 표시하고, 올바른 식을 쓰시오.
온라인 활동지
보기
식➡ 3 + 4 = 7
식➡ 9−7=2
식➡ 1+6=7
90 · P04 작은 수의 덧셈과 뺄셈
식➡ 6−3=3
식➡ 2+6=8
식➡ 8−4=4
식➡ 5+4=9
4
P04

P 92 ~ 93

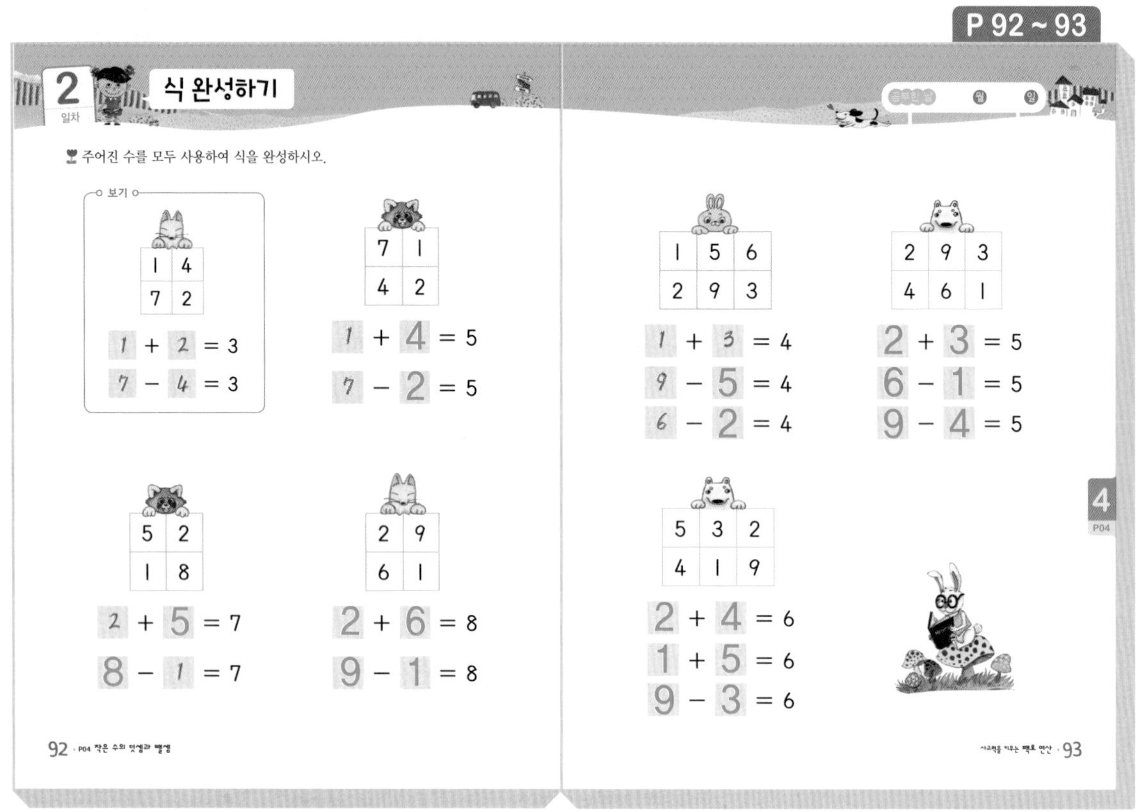
2 일차
식 완성하기
주어진 수를 모두 사용하여 식을 완성하시오.
보기
1 4
7 2
1 + 2 = 3
7 − 4 = 3
7 1
4 2
1 + 4 = 5
7 − 2 = 5
5 2
1 8
2 + 5 = 7
8 − 1 = 7
2 9
6 1
2 + 6 = 8
9 − 1 = 8
1 5 6
2 9 3
1 + 3 = 4
9 − 5 = 4
6 − 2 = 4
2 9 3
4 6 1
2 + 3 = 5
6 − 1 = 5
9 − 4 = 5
5 3 2
4 1 9
2 + 4 = 6
1 + 5 = 6
9 − 3 = 6
4
P04
92 P04 작은 수의 덧셈과 뺄셈
93

P 94 ~ 95

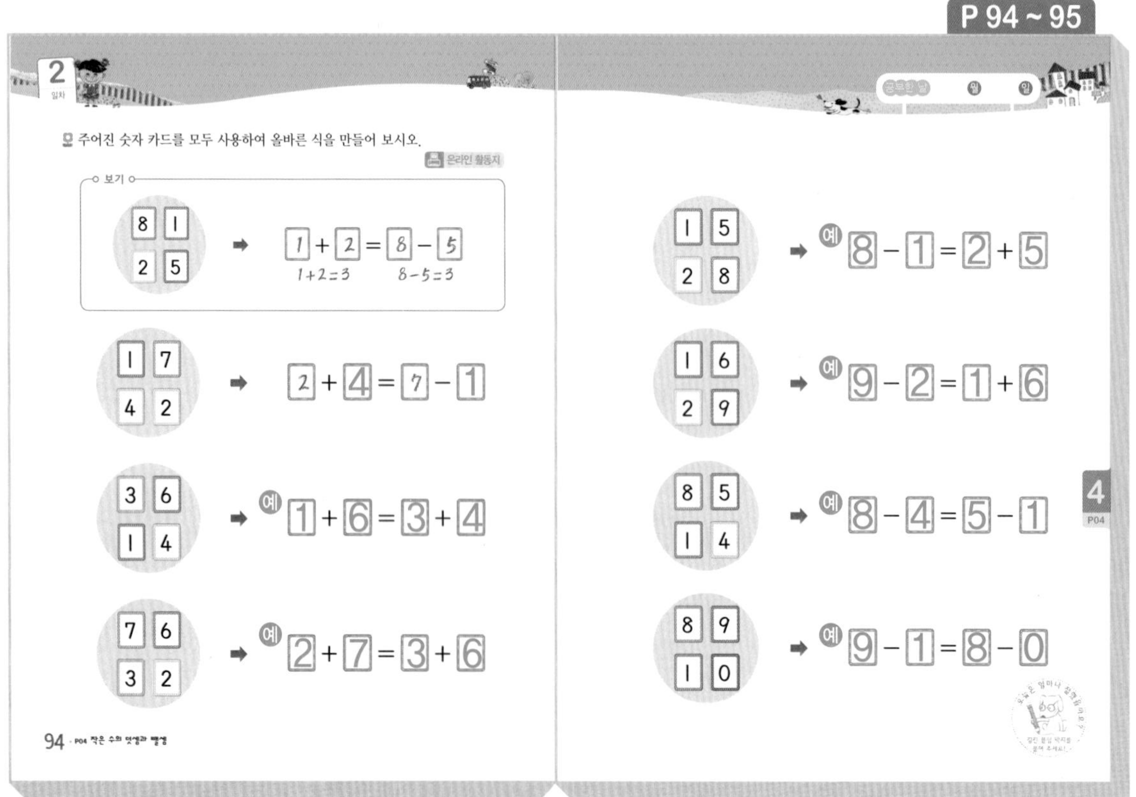
2 일차
주어진 숫자 카드를 모두 사용하여 올바른 식을 만들어 보시오.
온라인 활동지
보기
8 1
2 5
1 + 2 = 8 − 5
1+2=3
8−5=3
1 7
4 2
2 + 4 = 7 − 1
3 6
1 4
예 1 + 6 = 3 + 4
7 6
3 2
예 2 + 7 = 3 + 6
1 5
2 8
예 8 − 1 = 2 + 5
1 6
2 9
예 9 − 2 = 1 + 6
8 5
1 4
예 8 − 4 = 5 − 1
8 9
1 0
예 9 − 1 = 8 − 0
4
P04
94 P04 작은 수의 덧셈과 뺄셈

P04 정답

P 96 ~ 97

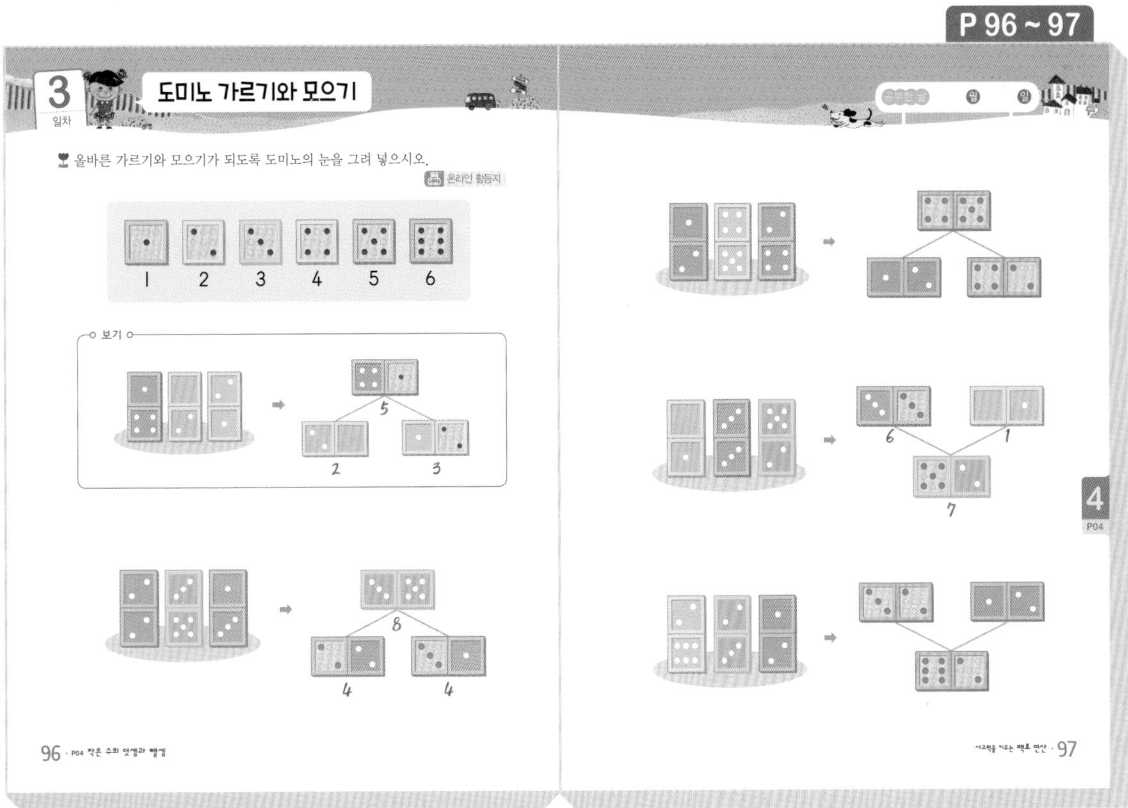

P 98 ~ 99

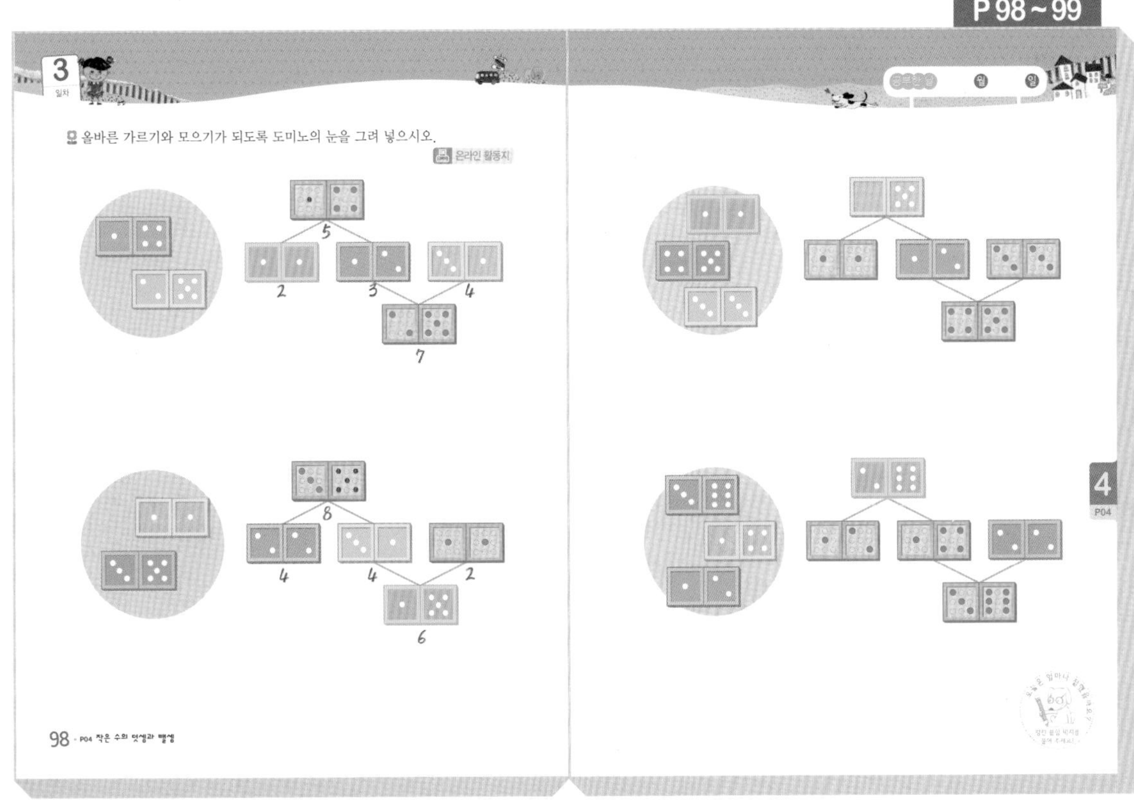

P 100 ~ 101

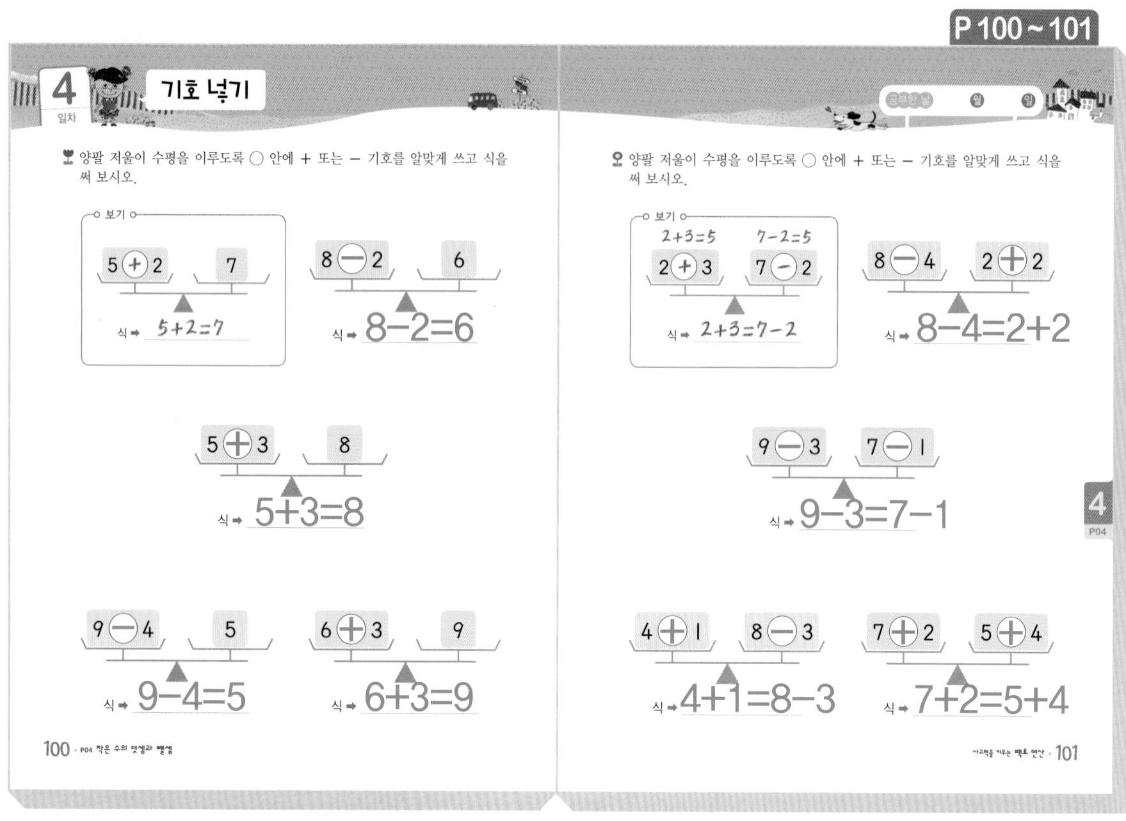

4 일차 기호 넣기
양팔 저울이 수평을 이루도록 ○ 안에 + 또는 − 기호를 알맞게 쓰고 식을 써 보시오.
보기
5 + 2 7
식 ➡ 5+2=7
8 − 2 6
식 ➡ 8−2=6
5 + 3 8
식 ➡ 5+3=8
9 − 4 5
식 ➡ 9−4=5
6 + 3 9
식 ➡ 6+3=9
100
양팔 저울이 수평을 이루도록 ○ 안에 + 또는 − 기호를 알맞게 쓰고 식을 써 보시오.
보기
2+3=5 7−2=5
2 + 3 7 − 2
식 ➡ 2+3=7−2
8 − 4 2 + 2
식 ➡ 8−4=2+2
9 − 3 7 − 1
식 ➡ 9−3=7−1
4 + 1 8 − 3
식 ➡ 4+1=8−3
7 + 2 5 + 4
식 ➡ 7+2=5+4
101

P 102 ~ 103

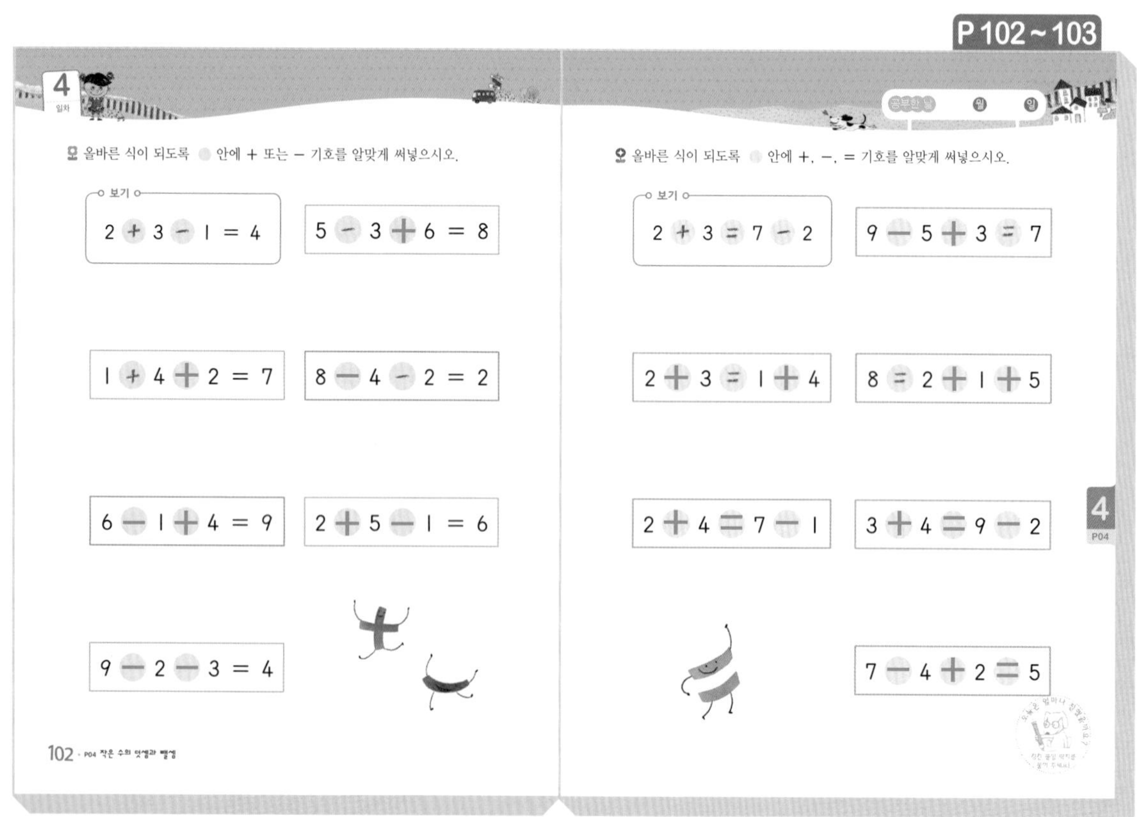

4 일차
올바른 식이 되도록 ● 안에 + 또는 − 기호를 알맞게 써넣으시오.
보기
2 + 3 − 1 = 4
5 − 3 + 6 = 8
1 + 4 + 2 = 7
8 − 4 − 2 = 2
6 − 1 + 4 = 9
2 + 5 − 1 = 6
9 − 2 − 3 = 4
102
올바른 식이 되도록 ● 안에 +, −, = 기호를 알맞게 써넣으시오.
보기
2 + 3 = 7 − 2
9 − 5 + 3 = 7
2 + 3 = 1 + 4
8 = 2 + 1 + 5
2 + 4 = 7 − 1
3 + 4 = 9 − 2
7 − 4 + 2 = 5

P 104 ~ 105

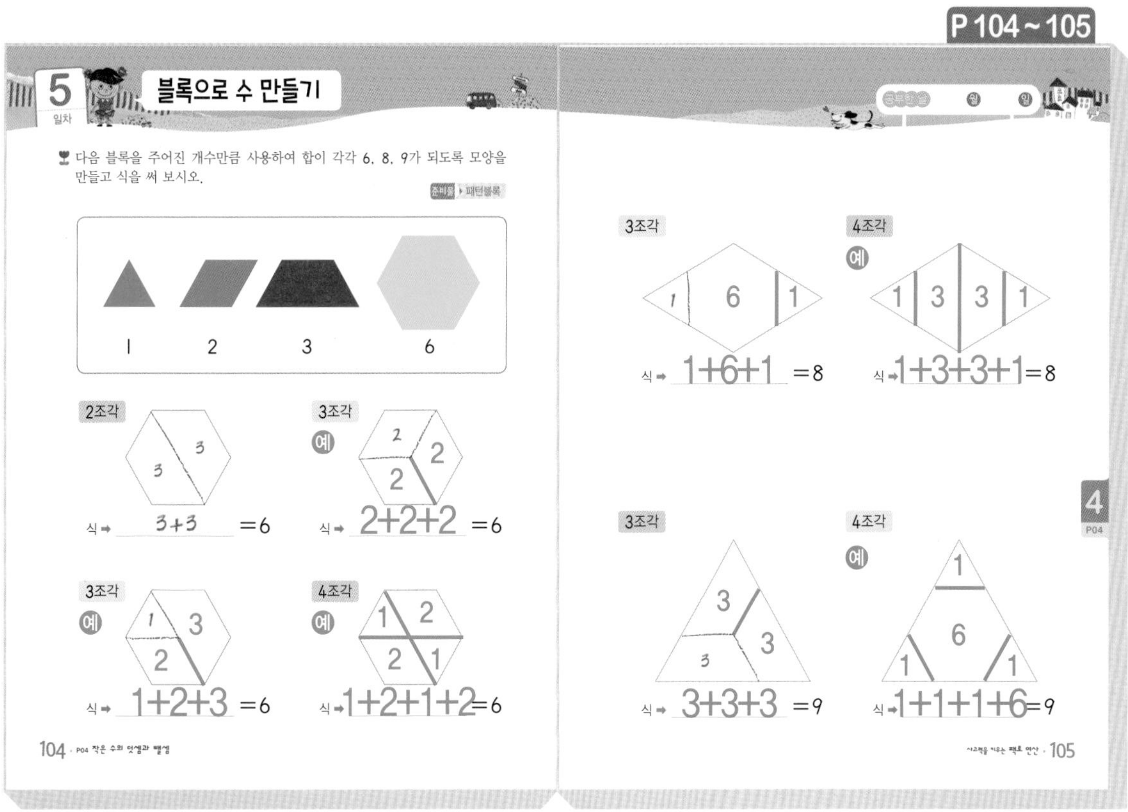

P 106 ~ 107

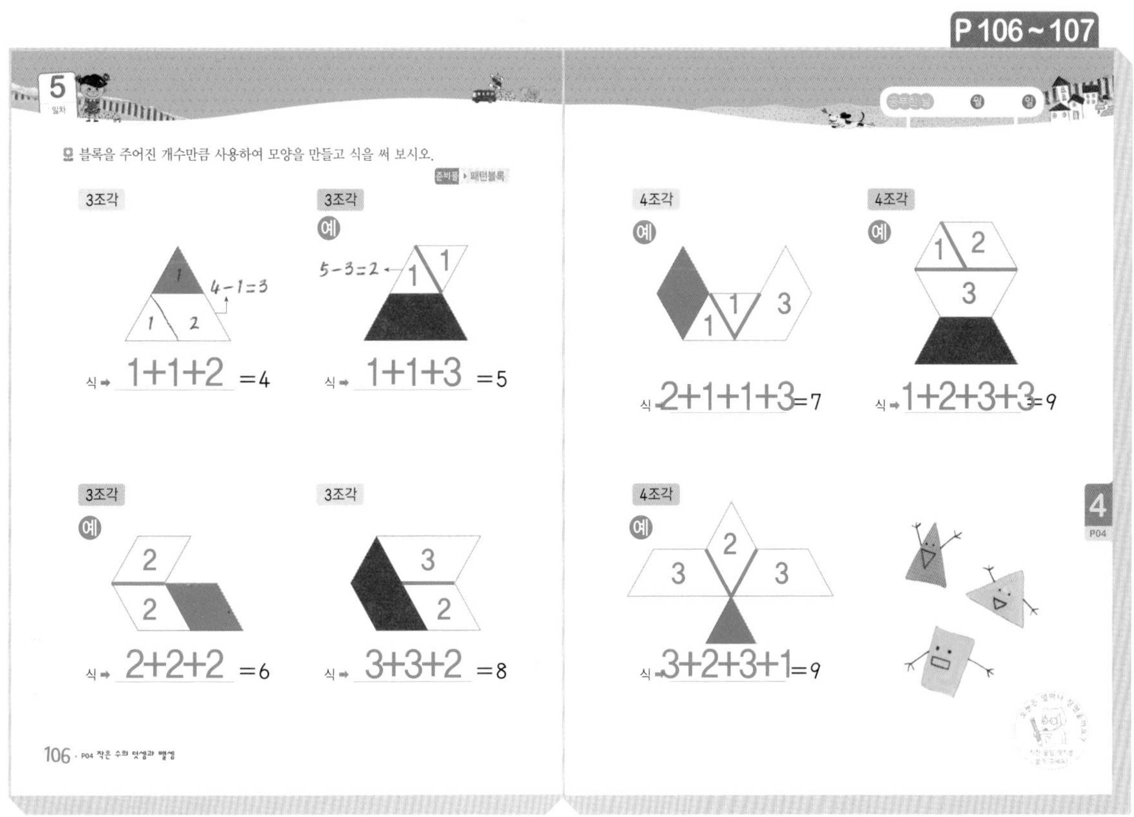

memo